nivel B1 audiolibro colecció[n] ...ies

MW00583444

Frida Kahlo

VIVA LA VIDA

COLECCIÓN GRANDES PERSONAJES

Autora: Aroa Moreno
Coordinación editorial: Clara de la Flor
Supervisión pedagógica: Emilia Conejo
Glosario y actividades: Emilia Conejo
Diseño y maquetación: rosacasirojo
Corrección: Rebeca Julio
Ilustración de portada: Joan Sanz
Fotografías:
© Fotografías Guillermo Kahlo: cortesía de Throckmorton Fine Art
© *Frida sentada en un banco blanco*: Nickolas Muray Photo Archives, 2011
© *Las dos Fridas*: Banco de México Diego Rivera Frida Kahlo Museums Trust, México, DF / VEGAP, Madrid, 2011
© *La columna rota*: Banco de México Diego Rivera Frida Kahlo Museums Trust, México, DF / VEGAP, Madrid, 2011
Agradecimientos: Museo Frida Kahlo, Fideicomiso Frida Kahlo, Emili Albi, Daniel Kämpfe, David Ruiz, Alejandro Pérez, Norberto L. Rivera, Mimi Muray, Salomón Grimberg, Ainhoa Salvador Locución: Cristina Carrasco
Locución: Cristina Carrasco

ISBN: 978-84-8443-736-9
Depósito legal: B-9369-2012
Reimpresión: marzo 2012
Impreso en España por T. G. Soler
www.difusion.com

Frida Kahlo

VIVA LA VIDA

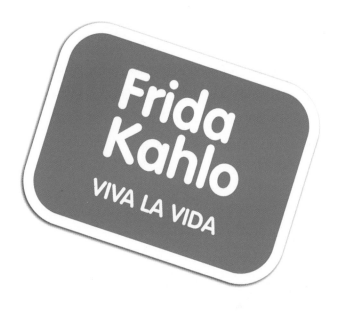

Índice

***Frida sentada en un banco blanco*, 1939** / Nickolas Muray

Frida Kahlo

Pintora

«Pies, ¿para qué los quiero si tengo alas para volar?»

pista 01

Introducción

La breve vida de Frida Kahlo (1907-1954) es la historia del arte de la primera mitad del siglo XX. Desde su muerte, se ha convertido en un icono de México conocido en todo el mundo. Es la tarjeta de visita del país azteca. No sabemos si Frida estaría de acuerdo con esta mercantilización[1] de su persona y con su transformación en mito. Lo que sí podemos decir es que Frida Kahlo aprovechó[2] cada día de su vida, cada acontecimiento, para vivirlo intensamente, y esto se refleja[3] en sus obras.

Enferma desde niña, Frida Kahlo transformó su dolor en arte. Sus cuadros[4] son la biografía del interior de la pintora. Fue siempre fiel[5] a su ideología, a su carácter, a su gente, a su país y a sus sentimientos. Con Diego Rivera, el gran pintor de murales[6], protagonizó una de las historias de amor más apasionadas, incomprensibles y turbulentas[7] de la historia, que le causó un enorme sufrimiento[8].

GLOSARIO

[1] **mercantilización**: proceso por el cual algo se convierte en una mercancía de consumo [2] **aprovechar**: (aquí) obtener algo útil o positivo de algo [3] **reflejar (se) en**: verse o mostrarse en [4] **cuadro**: pintura, obra pictórica [5] **fiel**: leal, que no traiciona algo o a alguien [6] **mural**: pintura de gran tamaño que se hace en un muro o pared [7] **turbulento**: (aquí) agitado, complicado, lleno de problemas [8] **sufrimiento**: dolor físico o psíquico

Frida fue una mujer tenaz[9], rebelde, adelantada[10] a su época y una pintora iconoclasta[11]. Vivió en un momento y en una ciudad llenos de creatividad y pintó sin descanso, excepto cuando su enfermedad se lo impidió. Su obra nos acerca a una de las personalidades más complejas del arte mexicano. En ella, la artista expresa su desacuerdo con la moral y los gustos de la época.

Su vida, llena de dolor y de continuas operaciones[12], le dio a Frida una visión muy dramática del mundo, pero también muy positiva, ya que siempre se enfrentó a las dificultades con esperanza y libertad.

Sobre Frida Kahlo se ha escrito mucho, se han rodado películas y su imagen aparece en todo tipo de objetos de consumo. Sin embargo, Frida es más que una moda. Santa[13] o diabla[14], amante, bisexual, enferma, Frida escapa a todas las etiquetas para permanecer libre, mucho más allá de la pintura.

Ignorada en su país como artista casi hasta el final de sus días, Frida es hoy admirada en todo el mundo. Su obra tiene una fuerza hipnótica y es el origen de algunas de las imágenes más características del siglo XX.

GLOSARIO

[9] **tenaz**: firme, constante, con determinación para conseguir un objetivo [10] **adelantado**: moderno, precoz [11] **iconoclasta**: persona que rechaza la autoridad de maestros, normas y modelos [12] **operación**: intervención médica en la que se practica la cirugía [13] **santo**: en el mundo cristiano, persona a quien la Iglesia ha declarado como tal [14] **diablo**: demonio

pista 02

1. La niña Frida

> *«Y se pinta hasta el pecho con tal de sobrevivir»*
> *Pedro Guerra,*
> El elefante y la paloma

Magdalena Carmen Frida Kahlo y Calderón nació el 6 de julio de 1907 en Coyoacán, en la casa familiar. Su familia le puso los dos primeros nombres para poder bautizarla[1], pero ella utilizaba solo el tercero, Frida, que proviene de la palabra alemana Frieden, que significa «paz». En su acta de nacimiento aparece la versión española del nombre: Frida. Pero ella lo escribió en alemán, Frieda, hasta finales de los años treinta, cuando el nazismo ganó fuerza en Alemania.

Poco después de nacer Frida, su madre enfermó y una nodriza[2] indígena tuvo que amamantar[3] a la niña. «Me crió[4] una nana[5] cuyos senos[6] se lavaban cada vez que iba a mamar», contaba orgullosa. Años más tarde, el hecho de haber recibido la leche de una mujer indígena se convirtió en algo muy importante para ella. En uno de sus cuadros pintó a la nodriza como la personificación de su herencia[7] mexicana y a ella misma como a un bebé. Frida siempre sintió devoción[8] por los pueblos indígenas de México.

GLOSARIO

[1] **bautizar**: rito cristiano por el cual se pone nombre a una persona [2] **nodriza**: mujer que cría a un niño que no es suyo [3] **amamantar**: alimentar una madre a una cría con la leche de su pecho [4] **criar**: (aquí) amamantar [5] **nana**: nodriza [6] **seno**: mama de mujer [7] **herencia**: (aquí) características culturales que se mantienen a lo largo del tiempo [8] **devoción**: amor intenso

De pequeña, era una niña alegre y de ojos brillantes[9]. Sin embargo, su carácter cambió cuando enfermó de poliomielitis a los siete años. Como consecuencia de esta enfermedad, que comenzó con un fuerte dolor en la pierna derecha, Frida tuvo que pasar nueve meses en el hospital. Esta fue la primera de las muchas veces que estuvo hospitalizada[10] a lo largo de su vida.

Después de la enfermedad, Frida se volvió más triste. En el colegio, los compañeros se reían de ella, así que dejó de salir a la calle. Se cubría la pierna con faldas largas o con pantalones. Su mirada era distinta. Su padre, que la consideraba la más inteligente de todas sus hijas y la que más se parecía a él, la obligó a hacer deporte, a moverse y a salir. Frida hacía boxeo, jugaba al fútbol y fue campeona de natación, deportes poco convencionales para las chicas mexicanas de aquella época. Además, empezó a ir con su padre al campo a hacer fotografías. Poco a poco, su vida volvió a ser más o menos normal.

La Escuela Nacional Preparatoria

En 1922, Frida Kahlo ingresó[11] en la mejor institución educativa de México: la Escuela Nacional Preparatoria. La escuela admitía a muy pocas chicas (solo 35 entre un total de 2000 alumnos), pero Frida superó el examen de acceso. Para su familia, se convirtió en la hija prometedora[12] que iba a estudiar un oficio.

La escuela estaba en el centro de Ciudad de México, cerca del Zócalo[13] y la catedral y a una hora de su casa de Coyoacán. Dentro de sus muros se escuchaban los mismos gritos de libertad que se oían fuera, en todo el país. Era un período de progreso y apertura.

Frida era entonces una joven esbelta[14], de pelo negro y rostro[15] sensual. Atraía[16] a los hombres, en parte por su sensibilidad y en

---

GLOSARIO

[9] **brillante**: que brilla o emite luz, reluciente [10] **hospitalizar**: internar a un enfermo en un hospital [11] **ingresar**: (aquí) entrar a formar parte de un organismo oficialmente [12] **prometedor**: que tiene cualidades para triunfar [13] **zócalo**: en México, plaza [14] **esbelto**: alto, delgado y de figura proporcionada [15] **rostro**: cara [16] **atraer**: (aquí) despertar deseo sexual

parte por su enorme energía, y estaba ansiosa por descubrirlo todo. Eligió un programa de estudios que después de cinco años le permitiría estudiar Medicina. En la escuela conoció a estudiantes que más tarde se convirtieron en grandes intelectuales, como los poetas Carlos Pellicer o Xavier Villaurrutia. Sin embargo, Frida disfrutaba de la compañía de los Cachuchas (llamados así por las gorras[17] que usaban), un grupo de amigos inteligentes pero bastante traviesos[18]. Sus aventuras eran tan escandalosas que en una ocasión Frida fue expulsada[19] del colegio.

A pesar de que leía mucho, Frida no era muy estudiosa. Obtenía buenas calificaciones[20] sin mucho esfuerzo porque tenía muy buena memoria y podía recordar todo lo que leía. Le gustaban la Literatura, el Arte y la Biología, pero le interesaban muchísimo más las personas. Leía en voz alta en el patio[21] de la escuela, faltaba al respeto a los profesores y les llevaba la contraria: «No, profesor; el texto dice otra cosa».

Durante aquellos años, Frida fue novia del jefe de los Cachuchas, Alejandro Gómez Arias. Se enamoraron en 1923. Él era muy culto, enérgico al hablar, sofisticado[22], buen atleta y muy atractivo. Frida Kahlo le escribió muchas cartas a Alejandro expresando sus sentimientos. También trabajó en una farmacia porque quería ahorrar para viajar con él a Estados Unidos, pero demostró ser una inepta[23] con los números.

A los 18 años, Frida ya no era una niña con uniforme y trenzas[24]. Era una mujer moderna, que vivía intensamente los locos años veinte. A veces, como puede verse en las fotografías familiares que hacía su padre, se vestía de hombre. Esto era una provocación para la época. En todas las imágenes de esos años, la mirada de Frida es inquietante[25], sensual y enigmática.

GLOSARIO

[17] **gorra**: prenda de ropa que se lleva en la cabeza [18] **travieso**: inquieto, juguetón [19] **expulsar**: echar a una persona de un lugar [20] **calificación**: valor numérico con el que se evalúa el resultado de un examen [21] **patio**: espacio en un colegio en el que los alumnos descansan entre las clases [22] **sofisticado**: elegante, refinado [23] **inepto**: poco hábil, inútil [24] **trenza**: peinado que se hace entrelazando el pelo [25] **inquietante**: que produce intranquilidad

Frida con ropa de hombre en 1926 / Guillermo Kahlo

Dos accidentes

En aquella época, Diego Rivera, de 36 años, ya era un pintor famoso y había recibido el encargo[26] de pintar un mural en el anfiteatro de la escuela de Frida. Tenía fama de comunista, hombre gigante y mujeriego[27]. Los Cachuchas, con Frida a la cabeza[28], se escondían en el teatro para gastarle bromas[29]. «Panzón[30] –le gritaba Frida–, ahí viene Lupe Marín». Diego solía mantener relaciones sexuales con muchas de sus modelos y coqueteaba con ellas durante el trabajo. Por eso, cuando escuchaba «ahí viene Lupe Marín», que era su esposa de entonces, se asustaba[31] y hacía equilibrios para no caerse[32] del andamio[33] desde el que estaba pintando.

Estos primeros encuentros sucedieron en el año 1923, y tanto Diego como Frida los han descrito en términos casi mitológicos. Diego recuerda de la Frida de entonces «la delgadez del cuerpo y la belleza que inquieta del rostro, y aquella mirada sombría[34], brillante, tensa[35]», una niña que se enfrentaba a él, el famoso pintor, «una hija de la raza cósmica de Vasconcelos, mezcla extraña de la alegría despreocupada de los indios y del dolor mestizo».

Pero aquellos años de felicidad y despreocupación[36] juvenil duraron poco. Todo cambió la tarde del 17 de septiembre de 1925, un día después de las fiestas patrias[37] de México. Frida y Alejandro tomaron el autobús a Coyoacán y se sentaron juntos en los asientos de atrás. Acababa de llover y un tranvía[38] procedente de Xochimilco avanzó lentamente, pero directo hacia ellos. No pudo frenar[39] y embistió[40] el autobús en el que viajaban Frida y Alejandro.

GLOSARIO

[26] **encargo**: petición [27] **mujeriego**: hombre que mantiene relaciones sexuales con muchas mujeres [28] **a la cabeza**: al mando, al frente [29] **gastar bromas**: divertirse a costa de alguien [30] **panzón**: que tiene una panza o barriga muy grande [31] **asustarse**: sentir un miedo repentino por algo [32] **caerse**: perder el equilibrio hasta llegar al suelo [33] **andamio**: armazón de hierro y madera que se coloca delante de un edificio o muro para trabajar en él [34] **sombrío**: oscuro [35] **tenso**: rígido [36] **despreocupación**: falta de preocupación [37] **fiestas patrias**: fiestas populares de un lugar [38] **tranvía**: vehículo que circula sobre raíles en una ciudad [39] **frenar**: detener un vehículo [40] **embestir**: chocar con fuerza

Después del accidente, la muchacha, que hasta ese momento caminaba dando saltos[41], se subía a los tranvías en marcha[42] y corría por los pasillos, quedó paralizada. Le escayolaron[43] prácticamente todo el cuerpo y le pusieron varios aparatos ortopédicos. La columna vertebral[44] se le rompió por tres sitios, se fracturó la clavícula[45], la pierna derecha se rompió en diez pedazos y el pie quedó aplastado[46]. El hombro izquierdo se salió de su sitio y el pasamanos[47] del camión[48] atravesó, literalmente, su cuerpo: le entró por el abdomen y le salió por la vagina. En una ocasión, muchos años después, Frida Kahlo dijo: «He sufrido dos grandes accidentes en mi vida, uno fue en aquel camión y el otro, Diego».

GLOSARIO

[41] **dar saltos**: saltar, impulsar el cuerpo hacia arriba para elevarse del suelo [42] **en marcha**: en circulación, en movimiento [43] **escayolar**: proteger una parte del cuerpo con yeso endurecido para inmovilizarlo y curar los huesos [44] **columna vertebral**: eje del esqueleto humano formado por una fila de vértebras [45] **clavícula**: hueso de la parte superior del pecho [46] **aplastar**: presionar sobre algo hasta deformarlo y hacerlo más plano [47] **pasamanos**: barra que se coloca sobre una barandilla para agarrarse a ella [48] **camión**: en México, autobús

¿1907 o 1910?

En 2010 se cumplieron cien años del nacimiento de Frida Kahlo, según ella. A Frida le gustaba decir que había nacido al mismo tiempo que estalló[1] la Revolución mexicana, en 1910, que era una «hija de la Revolución». Pero eso no es cierto. Frida Kahlo nació tres años antes, en 1907. Este dato ha causado mucha confusión entre los estudiosos de la artista.

También le gustaba fabular[2] con sus recuerdos sobre aquellos años: «Con mis propios ojos vi la batalla entre los campesinos de Zapata y los carrancistas. Mi madre abrió las ventanas que daban a la calle Allende para que entraran los zapatistas y se encargó de que los heridos y los hambrientos saltaran por las ventanas de la casa a la sala de estar». Probablemente, en este relato, como en su fecha de nacimiento, hay gran parte de ficción.

GLOSARIO

[1] **estallar**: explotar, comenzar violentamente [2] **fabular**: fantasear, inventar historias

pista 04

Poliomielitis[1], el comienzo del dolor

A los seis años Frida enfermó de polio, una enfermedad contagiosa producida por un virus que ataca al sistema nervioso. Es común sobre todo entre los niños de cinco a diez años. La enfermedad produce la inflamación[2] de las neuronas[3] de la médula espinal[4] y del cerebro, lleva a la parálisis muscular y deforma las articulaciones[5] para siempre. Con la edad aumenta el dolor y aparecen problemas de huesos y músculos que hacen que el enfermo no pueda moverse con normalidad.

La pierna derecha de Frida quedó prácticamente paralizada y muy delgada debido a la flacidez[6] del músculo. Para conseguir su rehabilitación, su padre insistió en que practicara muchos deportes. Aunque Frida y sus padres siempre estuvieron muy unidos, en esta época esa unión se fortaleció.

Cuando Frida volvió al colegio, tuvo que soportar las burlas de los compañeros, que le decían: «Frida, pata de palo[7]». Había cambiado mucho físicamente: antes de la enfermedad era una niña gordita de ojos alegres, pero después se quedó muy delgada, con una expresión muy sombría en la mirada que la acompañó el resto de su vida.

GLOSARIO

[1] **poliomielitis**: enfermedad infantil que produce parálisis [2] **inflamación**: alteración patológica en una parte del organismo que produce problemas de circulación de la sangre, hinchazón y dolor [3] **neurona**: célula nerviosa [4] **médula espinal**: región del sistema nervioso recubierta por la columna vertebral y encargada de transmitir los impulsos nerviosos a los nervios [5] **articulación**: unión de un hueso con otro [6] **flacidez**: debilidad, flojedad [7] **pata de palo**: pierna de madera

pista 05

2. El paisaje de Frida

«Los gringos son aburridos y todos tienen cara como de pan sin cocer»

Frida vivió la mayor parte de su vida en Coyoacán, que hoy forma parte de México DF (Distrito Federal). Esta es actualmente la ciudad más poblada del mundo, con cerca de 25 millones de habitantes, y se sigue extendiendo como una mancha[1] luminosa[2] por todo el valle del Anáhuac. Es una ciudad alegre, muy viva, pero con mucho tráfico y muy contaminada. La contaminación o *smog* deja pocas veces ver el sol. Por eso, y porque la ciudad está rodeada de montañas, el cielo del DF suele ser gris y denso[3].

Pero el DF es además una de las ciudades más peligrosas del mundo. La delincuencia[4], como en muchas grandes ciudades, llena las páginas de sucesos de los periódicos y la delincuencia aumenta cada año debido al elevado número de habitantes, los altos índices de pobreza y el desgobierno[5].

Como en el resto de México, la criminalidad ha aumentado también debido al narcotráfico. En muchas zonas, la población vive al límite, en una especie de guerra civil contra una fuerza armada y fantasma[6].

GLOSARIO

[1] **mancha**: (aquí) trozo de tierra que se distingue de los inmediatos por alguna cualidad [2] **luminoso**: que emite luz [3] **denso**: oscuro, opaco [4] **delincuencia**: criminalidad [5] **desgobierno**: desorden, desconcierto, falta de gobierno [6] **fantasma**: (aquí) amenaza de un riesgo próximo o temor por un posible peligro

El México de Frida

Tras la colonización de México, el país entró en una guerra civil que duró 400 años. Treinta años antes de nacer Frida Kahlo, Porfirio Díaz llegó al poder y comenzó un período que se conoce con el nombre de porfiriato. Durante esta época, la clase alta se hizo muy rica y las diferencias con el resto de la población aumentaron.

Durante los años de vida de Frida, Ciudad de México era una ciudad abierta, llena de artistas e intelectuales. México estaba transformándose en un país industrial con grandes posibilidades de desarrollo. La situación de México antes de 1910 era la misma que habían dejado los colonos españoles: una inmensa[7] población rural vivía oprimida por los terratenientes, que concentraban la mayor parte de las tierras. Por eso estalló la Revolución mexicana, que exigía, entre otras cosas, una reforma agraria[8] y un reparto más equitativo[9] de la riqueza[10]. En ella participaron rebeldes como Pancho Villa o Emiliano Zapata. Ellos, con los campesinos, abrieron las puertas de México a la modernidad.

La Revolución fue un acontecimiento sin precedentes en la historia de México. En 1910, el pueblo se rebeló contra el orden establecido y comenzó así una guerra que dejó más de un millón de muertos. Durante la lucha entre ambos bandos[11] reinaba un clima de violencia y caos, y en Coyoacán, la ciudad donde vivía Frida, los soldados raptaban[12] y violaban[13] a las mujeres y se disparaban[14] los unos a los otros sin tener muy claro quién era el enemigo. Frida y su hermana Cristina se ocultaban[15] en un viejo baúl[16] que tenían en la casa mientras su madre daba de comer a los revolucionarios. Esta revolución, anterior a la Revolución rusa, anunció el principio

---

GLOSARIO

[7] **inmenso**: muy grande, enorme [8] **reforma agraria**: reforma política que se hace para modificar la estructura de propiedad de la tierra [9] **equitativo**: justo [10] **riqueza**: abundancia de bienes y/o dinero [11] **bando**: facción, parte que lucha contra otra u otras [12] **raptar**: secuestrar, tomar prisionera a una persona para exigir dinero por su rescate [13] **violar**: forzar a una persona a tener relaciones sexuales con su agresor [14] **disparar**: hacer que un arma (pistola, escopeta o similar) despida su carga [15] **ocultar**: esconder, no mostrar [16] **baúl**: mueble con forma de caja grande que sirve para guardar cosas

de los tiempos modernos. Sus protagonistas, los generales de aquella época, son los héroes del México moderno, y su guerra fue una lucha por los derechos que tuvo un terrible coste humano.

Coyoacán

Coyoacán es una de las zonas de Ciudad de México donde la herencia colonial está más presente. Hace unas décadas era solamente un pueblo cercano, al sur del DF, pero hoy es parte de la ciudad. A pesar de eso, conserva su aire tradicional. Con el tiempo, sus calles empedradas[17], sus plazas y las viejas casonas[18] han atraído a un buen número de artistas que le dan a esta zona un carácter intelectual y bohemio. En su zócalo, el corazón del barrio, hay muchos cafés y restaurantes al aire libre, un mercadillo[19], librerías, *boutiques* modernas y muchísimos estudiantes universitarios, ya que está muy cerca de la gran Universidad Nacional Autónoma de México. En este barrio vivió Frida Kahlo casi toda su vida. La vivienda de los Kahlo era una casona situada en la calle Londres. Todo el universo creativo de la artista se concentra entre esas paredes, donde Frida pasó mucho tiempo debido a su enfermedad. Aunque cuando se casó con Diego Rivera vivió en distintos lugares del DF y en el extranjero, Frida siempre volvía a la casa de Coyoacán.

Quien visita la casa aún puede imaginar cómo era la vida cotidiana de Kahlo. Allí también vivió Rivera durante largas temporadas. De hecho[20], fue él quien pagó la hipoteca[21] de Guillermo Kahlo y saldó todas sus deudas[22]. El edificio, construido en 1904, no era un lugar muy grande. Con el tiempo se amplió[23] y hoy tiene más de 800 m^2 y un gran jardín. Fue el padre de Frida

---

GLOSARIO

[17] **empedrado**: con el suelo de piedra [18] **casona**: casa señorial antigua [19] **mercadillo**: mercado al aire libre donde se vende comida, ropa o artículos nuevos o usados [20] **de hecho**: efectivamente [21] **hipoteca**: finca que sirve como garantía del pago de un crédito bancario [22] **saldar deudas**: pagar el dinero que se debe [23] **ampliar**: hacer más grande

pista 06

Gringolandia

«Gringolandia», así llamaba Frida Kahlo con desprecio[1] a Estados Unidos. En 1930, el matrimonio Rivera-Kahlo se mudó a San Francisco, donde Diego recibió varios encargos para pintar murales. Durante este período, la salud de Frida empeoró y la artista se sintió muy sola. Viajaron también a Filadelfia y Detroit, y en 1933 se instalaron en Nueva York porque Diego tenía un encargo para pintar un mural en el Rockefeller Center. El contrato se rescindió[2] porque Rivera pintó el retrato de Lenin en el mural. Se negó a[3] borrarlo y el mural fue destruido. Frida Kahlo nunca se sintió bien en EE. UU. Echaba de menos[4] México y expresaba su desagrado con los gringos: «Son aburridos y todos tienen cara como de pan sin cocer[5] (especialmente las mujeres viejas)». En otra carta escribió: «Creo que los americanos no tienen inteligencia ni buen gusto». Frida se sentía en la frontera entre dos mundos muy diferentes.

GLOSARIO

[1] **desprecio**: falta de aprecio [2] **rescindir**: cancelar [3] **negarse a**: rechazar una instrucción [4] **echar de menos**: lamentar la ausencia de algo [5] **cocer**: cocinar en el horno

Rivera-Kahlo le dio un estilo muy especial. El color y la decoración popular reflejan la admiración de la artista por los pueblos de México. La Casa Azul, que así se llamaba la casona, es el lugar al que realmente perteneció Frida Kahlo, donde siempre volvió y del que, en realidad, nunca salió. Frida trajo el mundo que había visto hasta su casa y lo pintó desde allí. La Casa Azul es el testimonio de una vida y una época, una síntesis del universo de Frida, de su creatividad y de su revolución.

Los viajes: Estados Unidos y Europa

Ni en Estados Unidos ni en Europa encontró Frida Kahlo lo que esperaba. Gracias a estos viajes, la artista comprendió que se sentía muy unida a México y a su cultura. Y, aunque triunfó primero como artista fuera de su país natal, estaba obsesionada con ser reconocida[24] dentro de las fronteras mexicanas.

Su desagrado[25] con «Gringolandia»[26] se ve en cuadros como *Autorretrato en la frontera entre México y los Estados Unidos* (1932) y *Mi vestido cuelga allá* (1933). En el primero, Frida se pinta vestida de rosa y con la bandera[27] de México en una mano. Está entre dos mundos: a un lado, la industrialización de Estados Unidos (contaminación, máquinas y grandes edificios). Al otro, las pirámides aztecas, flores, una calavera[28] y figuras precolombinas de México. En *Mi vestido cuelga allá* aparece en el centro de la imagen el vestido de tehuana de Kahlo. Sus colores alegres destacan sobre los símbolos de la sociedad estadounidense: edificios institucionales, grandes rascacielos[29], basura, máquinas, etc. Estos elementos simbolizan la decadencia y la falta de humanidad de la sociedad del país vecino. Frida no se pinta a sí misma en el cuadro, algo extraño en su obra, y su ausencia[30] es probablemente una forma de expresar que no desea estar allí.

En enero de 1939, Frida viajó sola a París para exponer su obra, invitada por André Breton. No le impresionaron ni París ni los franceses, y rechazó[31] a los artistas parisinos y europeos en general. Aunque la obra de Frida gustó mucho y su cuadro *Autorretrato - El marco* fue la primera obra de un artista mexicano que compró el Museo del Louvre, Frida canceló el resto de exposiciones y volvió a México. En Europa, la Segunda Guerra Mundial estaba a punto de[32] estallar.

GLOSARIO

[24] **reconocido**: (aquí) famoso, valorado positivamente [25] **desagrado**: rechazo, descontento [26] **Gringolandia**: (despectivo) Estados Unidos [27] **bandera**: trozo de tela con los colores oficiales de un país [28] **calavera**: conjunto formado por los huesos de la cabeza sin carne ni piel [29] **rascacielos**: edificio muy alto [30] **ausencia**: falta, vacío [31] **rechazar**: no aceptar [32] **estar a punto de**: faltar muy poco tiempo para

El Museo Frida Kahlo. La Casa Azul

Frida Kahlo nació y murió en la Casa Azul. Situada en la calle Londres, en el barrio bohemio de Coyoacán, hoy es el Museo Frida Kahlo. La casa recibe más de 25 000 visitantes al mes, de los cuales el 70% son extranjeros. Es uno de los museos más visitados de todo México. Entre esas paredes, Frida pintó la mayor parte de sus cuadros. Por allí pasaron grandes personalidades y artistas destacados de la época: Carlos Pellicer, José Clemente Orozco o Sergei Eisenstein. Sin duda, uno de sus huéspedes[1] más famosos fue el revolucionario ruso León Trotsky, que se refugió allí. De hecho, para garantizar su seguridad, se amplió el jardín y se hicieron algunos cambios en la casa.

En la cabecera[2] de la cama, todavía hoy cuelgan los retratos de Lenin, Stalin o Mao Zedong. En el estudio se encuentra el caballete[3] que le regaló Rockefeller, sus pinceles[4] y sus libros. Una de las cosas que más llama la atención es el espejo que hay sobre la cama de Frida, donde la artista se miraba para pintar sus famosos autorretratos.

GLOSARIO

[1] **huésped**: invitado, persona que pasa un tiempo en una casa que no es la suya [2] **cabecera**: parte de la cama donde se pone la almohada (y se reposa la cabeza) [3] **caballete**: construcción de madera con tres patas que sirve para sostener el cuadro [4] **pincel**: instrumento que se utiliza para pintar

pista 08

3. El elefante y la paloma

> *«Bebía porque quería ahogar mis penas, pero las malvadas aprendieron a nadar»*

Diego Rivera y Frida Kahlo son una de las parejas más famosas dentro del mundo del arte. La historia de su amor está llena de pasión y felicidad, pero también de dolor. Eran una bomba intelectual y provocadora, y su relación marcó para siempre la vida de los dos. Es imposible conocer la biografía de Kahlo sin la de Rivera, y viceversa.

Frida Kahlo y Diego Rivera se vieron por primera vez en 1923, en la Escuela Nacional Preparatoria, pero el encuentro que los unió para siempre tuvo lugar en 1928. En aquel momento, Diego tenía 42 años, casi el doble que Frida. Se había casado dos veces y había tenido cuatro hijos, uno de los cuales había muerto. Diego Rivera estaba pintando un mural en el Ministerio de Educación.

Frida ya había sufrido su grave accidente y había comenzado a pintar desde la cama. Desde el patio del Ministerio, le gritó: «Diego Rivera, quiero que vea mis cuadros». Al principio, Diego la ignoró[1]. Luego le pidió que se los subiera. Pero Frida, que aún caminaba mal por el accidente, se negó. Le dijo que bajase él. «Deja el mejor de ellos -respondió el muralista- y si vale la pena, iré a verte a tu casa».

Al ver el cuadro que Frida le dejó en el patio del Ministerio, *Autorretrato con vestido de terciopelo*, Diego Rivera supo que

---

GLOSARIO

[1] **ignorar**: no poner atención, no hacer caso

aquella joven tenía algo especial. Pensaba que la manera de pintar de Frida era muy inquietante. Él pintaba lo que veía y ella, lo que sentía. La capacidad de Frida para transformar su mundo interior en arte despertó la admiración de Diego desde el principio.

Cuando Diego Rivera visitó por primera vez la casa donde vivía Frida Kahlo con sus padres, ella lo recibió silbando[2] *La Internacional* subida a un árbol. Tras esta provocación se ocultaban la angustia[3] y los nervios de Frida ante la visita de Diego. Le enseñó toda la casa correteando[4] de cuarto en cuarto cogida de su mano y Diego vio los cuadros de Frida. El pintor se convirtió pronto en una visita habitual de la casa y Frida en una invitada más en las fiestas de la intelectualidad mexicana. Para Frida, Diego era la imagen del «macho»: sensual, dominador[5], inestable y celoso[6]. A Diego le atraía de Frida su belleza extraña, su alegría y su gesto herido y valiente.

Diego y Frida se casaron el 29 de agosto de 1929. Ella tenía 22 años y él, 42. A todo el mundo le sorprendió la boda y mucha gente pensó que Frida se casaba con Diego para impulsar su carrera artística. Al final de la celebración, Frida comenzó a insultar[7] a Diego Rivera, indignada[8] por el comportamiento de Lupe Marín (la anterior mujer de Diego) en la boda. Rivera se quedó paralizado, como muchas otras veces después, ya que nunca pudo entender los arrebatos[9] de Frida, provocados por su extrema sensibilidad.

La vida en pareja

Después de la boda se mudaron a Ciudad de México y poco después a Cuernavaca, a pocos kilómetros de la capital, donde

---

GLOSARIO

[2] **silbar**: producir un sonido al dejar salir el aire lentamente entre los labios redondeados y muy juntos entre sí [3] **angustia**: agobio, estrés [4] **corretear**: correr alegremente [5] **dominador**: controlador, autoritario [6] **celoso**: que siente celos o miedo de que la persona amada lo abandone por otra [7] **insultar**: ofender a alguien con palabras [8] **indignado**: ofendido, molesto [9] **arrebato**: ataque emocional repentino

Diego estaba pintando unos murales. En 1933 se fueron a Nueva York. Allí, Diego se dedicó completamente al trabajo y dejó a Frida de lado[10] en un país que le resultaba muy extraño. Frida se sentía olvidada por Diego, no quería estar sola y soñaba con regresar a México. Estaba harta[11] de la vida nómada junto al artista, y discutían a menudo por ello. Finalmente, después de cuatro años, Diego fue despedido por pintar escenas comunistas en el Rockefeller Center y la pareja regresó a México.

Juan O'Gorman es el arquitecto que realizó el diseño de la nueva casa de Diego y Frida, en el barrio de San Ángel. Siguiendo las instrucciones de la pareja, construyó dos edificios independientes, dos viviendas unidas solo por un puente. Esta construcción simbolizaba su relación: independientes pero siempre unidos. Así querían que fuera, y así fue.

Unos cuantos[12] piquetitos[13]

Los problemas de salud de Frida durante esa época variaban de acuerdo con la estabilidad de su matrimonio. Cuando los problemas con Diego eran graves, su salud empeoraba; cuando la relación era buena, Frida mejoraba físicamente.

Fue entonces cuando Diego Rivera dio a Frida Kahlo el golpe más duro de su vida. Aunque Frida estaba acostumbrada a las infidelidades de Diego con otras mujeres (actrices, artistas, modelos), nunca jamás pensó que su marido pudiese hacer aquello: Frida descubrió que Rivera y su hermana menor, Cristina, a la que más quería, mantenían una relación a sus espaldas[14].

Frida se sintió «asesinada». Aquella traición, salvaje para ella, la hundió en una depresión. Se cortó la larga melena negra y dejó de vestirse de tehuana, dos cosas que le gustaban mucho a

---

GLOSARIO

[10] **dejar de lado**: ignorar, desatender [11] **harto**: cansado, desencantado [12] **unos cuantos**: varios, algunos [13] **piquetito**: herida hecha con un instrumento punzante como un cuchillo [14] **a sus espaldas**: sin su conocimiento

Rivera. Sin embargo, aunque el dolor de Frida no se curó nunca, los perdonó a los dos, primero a su hermana. De aquella historia surgió su cuadro *Unos cuantos piquetitos*, en el que aparece Rivera junto a una cama en la que está Frida completamente cubierta de sangre. A partir de entonces, la relación con Diego cambió. Kahlo se hizo más independiente y mantenía relaciones con otras personas, también con mujeres. Frida sentía que su matrimonio se rompía. Fue entonces cuando conoció al fotógrafo Nickolas Muray, con el que mantuvo una relación apasionada. Frida decía que lo amaba, pero la presencia de Diego era imborrable[15]. Cuando volvió a México, se fue a vivir a Coyoacán de nuevo, pero en diciembre de 1939, Frida y Diego Rivera se divorciaron.

Ahogando las penas

Tras el divorcio, Frida cayó en una profunda depresión. Fueron meses difíciles para la pintora, así que decidió esforzarse en pintar. Sabía que si la pintura la había salvado en otras ocasiones, también lo haría en ese momento. En este estado creó una de sus obras más reconocidas: *Las dos Fridas* (1939), donde aparecen dos autorretratos de la pintora sentada, unidos por una arteria[16] que va de un corazón al otro. Las dos Fridas se cogen de la mano. Una de ellas está vestida de tehuana: es la Frida que amaba Rivera. En la mano sostiene un pequeño retrato del pintor, también alimentado por una vena[17] que sale de su corazón. La otra Frida lleva ropa europea. Tiene el corazón partido y una tijera[18] en la mano de la que gotea[19] sangre. Son las dos visiones que Frida tiene sobre sí misma y la expresión de su dolor por el divorcio de Rivera. Son los dos mundos divididos entre los que vive Kahlo. El corazón mexicano aparece completo; el de la Frida europea, segmentado. Se puede ver su interior.

GLOSARIO

[15] **imborrable**: que no se puede borrar [16] **arteria**: vaso que lleva la sangre desde el corazón a las demás partes del cuerpo [17] **vena**: vaso por el que la sangre vuelve al corazón [18] **tijera**: instrumento con dos hojas de acero que sirve para cortar [19] **gotear**: caer gota a gota

En aquella época, Frida bebía una botella de *brandy* al día. «Bebía porque quería ahogar mis penas[20], pero las malvadas[21] aprendieron a nadar». Llenaba su vacío con su familia, se volcaba en[22] sus sobrinos y trabajaba sin descanso; no quería volver a depender económicamente de nadie.

Entre 1939 y 1940 la salud de Frida empeoró mucho. Su estado de ánimo era lamentable[23]. Frida fue a ver al doctor Eloesser a San Francisco. Diego estaba allí y recibió noticias sobre la situación de Frida. Pasaron unos días juntos y las cosas mejoraron. Entonces, él le propuso que se casaran de nuevo. Lo hicieron el 8 de diciembre de 1940.

Después de esta segunda boda, la pareja se instaló en la Casa Azul de Coyoacán. Comenzaron unos años felices en los que establecieron una rutina de convivencia. Se amaban y convivían en armonía. Frida se convirtió en la compañera-madre de Rivera. A veces incluso lo bañaba, y el gigante pintor chapoteaba[24] en la bañera, jugando como un niño. Pero en 1944 la salud de Frida volvió a empeorar. Frida se obsesionó con el sufrimiento y se convirtió en espectadora[25] de su propio dolor. Tomaba narcóticos derivados de la morfina, vivía drogada. El año de 1950 lo pasó en el hospital debido a una nueva intervención quirúrgica[26]. Diego intentó hacer la estancia de Frida en el hospital lo más agradable posible. Organizaba visitas o funciones de títeres[27] para divertirla. Sin embargo, el pintor no abandonó su estilo de vida y su promiscuidad. Frida comenzó a empeorar e intentó atraer la atención de Diego. Intentó suicidarse[28] varias veces.

Diego Rivera y Frida Kahlo fueron compañeros, camaradas, hasta el final de la vida de la pintora. Él, a su manera, la quería, y no podían vivir el uno sin el otro.

GLOSARIO

[20] **pena**: tristeza, preocupación [21] **malvado**: malo, perverso [22] **volcarse en**: dedicarse por completo a [23] **lamentable**: que da pena, muy malo [24] **chapotear**: hacer ruido al mover las manos y los pies en el agua [25] **espectador**: persona que mira con atención un objeto [26] **intervención quirúrgica**: operación [27] **función de títeres**: espectáculo de marionetas [28] **suicidarse**: matarse intencionadamente

pista 09

La boda entre un elefante y una paloma[1]

Frida Kahlo y Diego Rivera se casaron en agosto de 1929. La ceremonia fue sencilla y se celebró en el Ayuntamiento de Coyoacán. Frida llevaba una falda que le había prestado[2] la criada de la casa. Diego llevaba un traje americano gris y un gran sombrero tejano[3]. Para la madre de Frida, Diego era demasiado viejo (20 años mayor que Frida), demasiado gordo y, lo peor de todo, comunista y ateo. El día de la ceremonia, Guillermo Kahlo dijo que era «la boda entre un elefante y una paloma», pero se mostró menos contrario al matrimonio que Matilde. Diego Rivera era un pintor reconocido en México y podría pagar los altos costes de las operaciones y los medicamentos de Frida.

GLOSARIO

[1] **paloma**: ave de tamaño mediano y que simboliza la paz [2] **prestar**: dar a alguien algo para que lo utilice por un tiempo y luego lo devuelva [3] **tejano**: que es de Texas o sigue el estilo de ese lugar

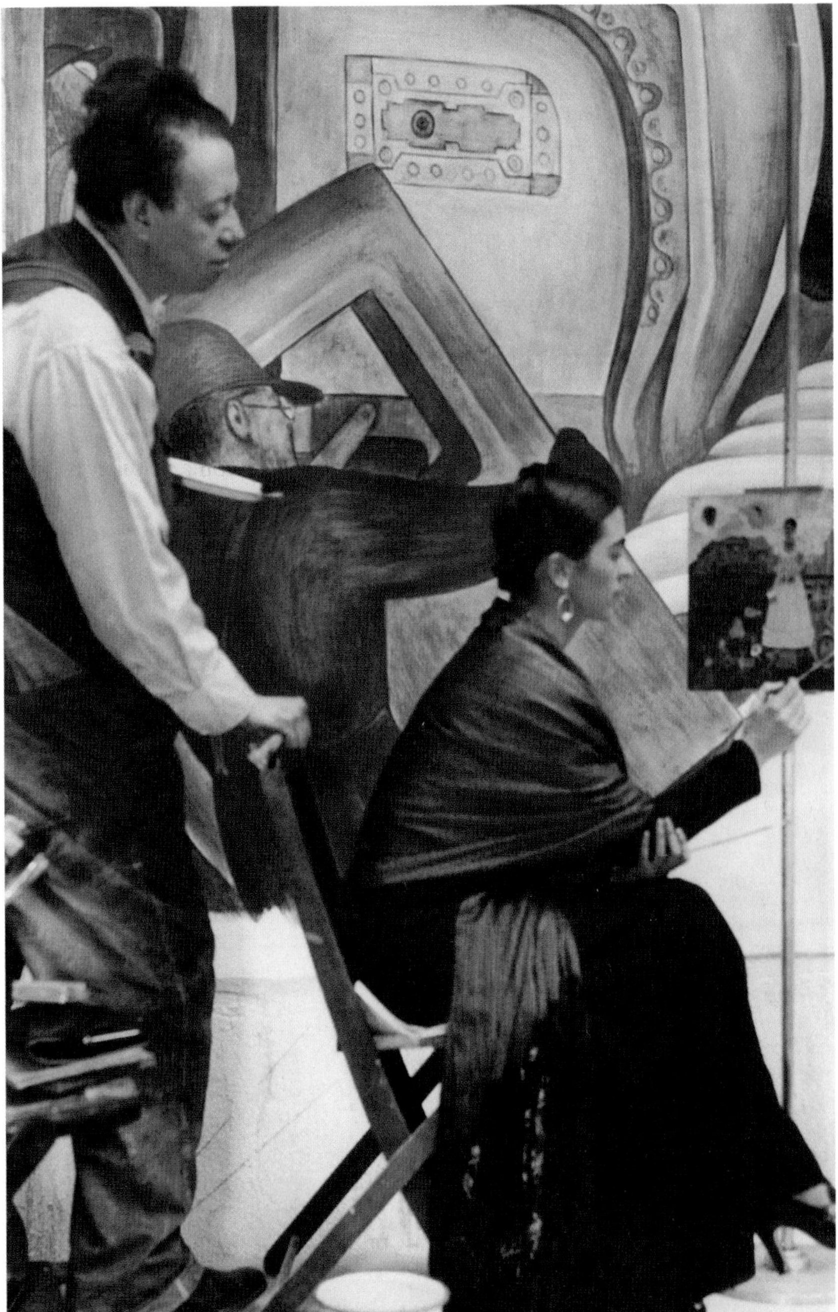

Diego Rivera y Frida Kahlo frente a un mural del pintor mexicano / Autor desconocido

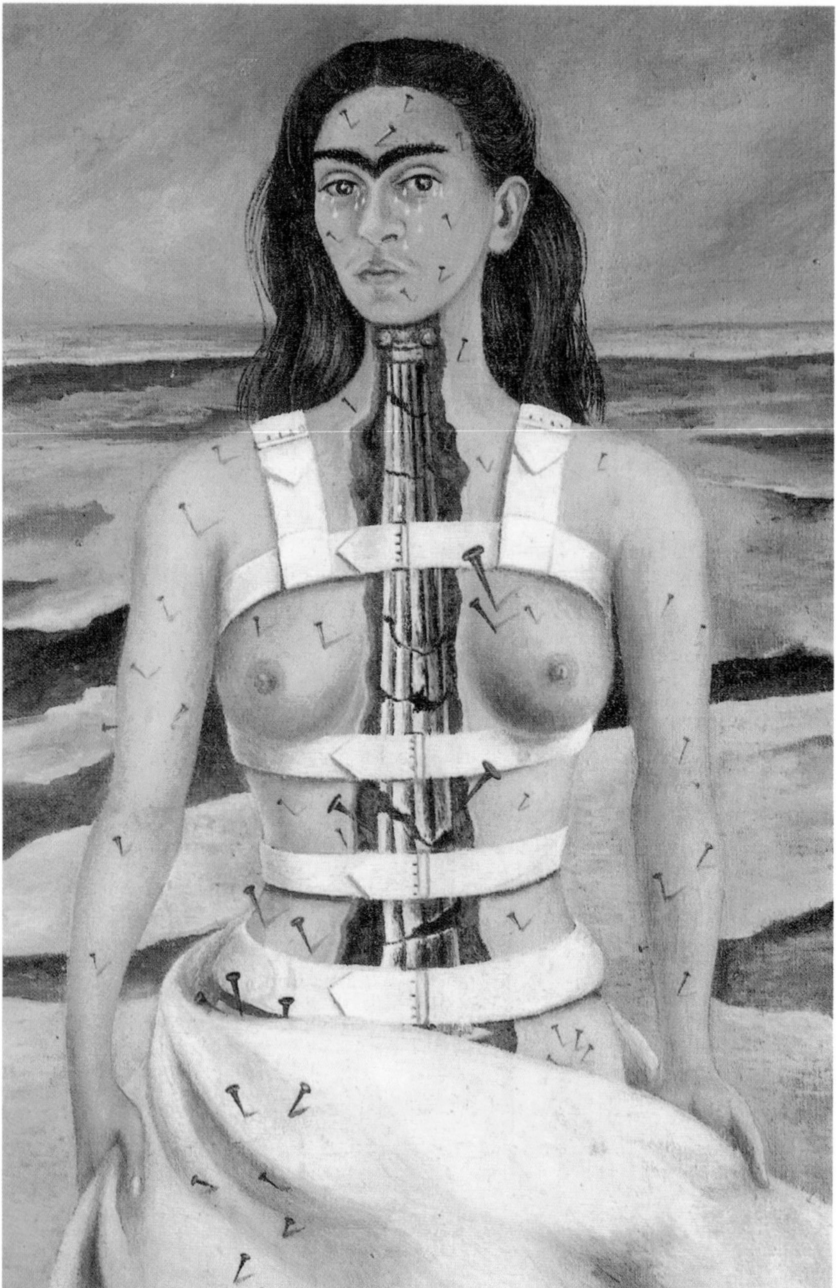

La columna rota, 1944

4. Frida y el dolor

«Espero alegre la salida... y espero no volver jamás»

Es difícil imaginar el dolor físico que sintió Frida Kahlo a lo largo de su vida. Las largas estancias en los hospitales, las 32 operaciones quirúrgicas (en la columna vertebral y la pierna derecha), las temporadas de inmovilidad y el sufrimiento que le producían sus huesos y músculos marcaron su forma de ser y su manera de enfrentarse al mundo. Frida vivía desde dentro hacia fuera. Transformaba su dolor en arte, en una forma de vida especial, intensa y muy arriesgada[1].

El primer golpe lo recibió Frida cuando tenía siete años. Tras un profundo dolor en la pierna derecha, le diagnosticaron poliomielitis, una enfermedad vírica para la que hoy existe vacuna, pero que antes era frecuente entre niños menores de diez años. Pasó nueve meses en el hospital y, como consecuencia de la enfermedad, su pierna derecha quedó muy delgada. A partir de entonces, Frida empezó a esconder sus piernas bajo la ropa. Le quedó una ligera cojera[2] que fue empeorando con el paso de los años.

Pero fue más adelante, en 1925, cuando la vida de Frida Kahlo cambió para siempre. Un tranvía embistió el autobús donde viajaba. Como consecuencia de aquel choque, se fracturó la

---

GLOSARIO

[1] **arriesgado**: peligroso, imprudente [2] **cojera**: accidente que impide andar con normalidad

clavícula y su columna se quebró[3] en tres partes. Su pierna derecha quedó deshecha por diez roturas[4] y los hierros del autobús le aplastaron el pie. Lo peor para Frida es que después del accidente no pudo tener hijos: la barra de hierro del autobús entró como una espada[5] por el abdomen de la joven y salió por la vagina. «Perdí mi virginidad en el accidente», solía decir.

Fue otro pasajero del autobús, según relata Alejandro Gómez Arias (novio de Frida entonces) quien tiró del hierro para sacarlo del cuerpo de la joven. Llegó una ambulancia[6] y la llevaron a la Cruz Roja. «Frida gritó tan fuerte que no se sentía[7] la sirena[8] de la ambulancia», explicó Alejandro. Frida fue literalmente reconstruida por los médicos. De su estancia en el hospital, Frida recuerda que «la muerte bailaba alrededor de mi cama por las noches». La vida de Frida, de 1925 en adelante, fue una constante lucha contra el dolor. Si de la polio la salvaron el deporte y el movimiento, ahora tenía que aprender a permanecer quieta.

Algunas irregularidades durante el ingreso de Frida en la Cruz Roja agravaron la situación. Por falta de medios económicos, los médicos no hicieron algunas pruebas básicas, como las radiografías[9], así que en ese momento nadie supo qué consecuencias había tenido el accidente para Frida.

La salvación

La pintura fue el arma con la que Frida combatió la enfermedad y la tristeza. Mediante la pintura podía controlar su mundo. Lo que no podía hacer con su cuerpo sus cuadros lo hacían por ella. Durante estos años tuvo casi todo el cuerpo escayolado, así que sus padres le regalaron un caballete con el que podía pintar desde la cama.

GLOSARIO

[3] **quebrarse**: romperse [4] **rotura**: lesión que se produce cuando se rompe un hueso [5] **espada**: arma larga, recta y cortante [6] **ambulancia**: vehículo en el que se transportan heridos o enfermos [7] **sentir**: (aquí) percibir, oír [8] **sirena**: sonido que indica que el enfermo que va en la ambulancia está grave [9] **radiografía**: imagen del interior del cuerpo hecha con rayos X

También le dieron pinceles y pinturas y pusieron un espejo[10] sobre su cama. Así, Frida podía mirarse y pintar mientras estaba tumbada.

De aquellos años son los cuadros que Frida Kahlo mostró, por primera vez, a Diego Rivera. La mayoría son autorretratos y retratos familiares. La familia de Frida no tenía mucho dinero y tuvo que hacer grandes esfuerzos económicos para pagar la recuperación de Frida. Ella tuvo que abandonar los estudios, así que tenía que ayudar de otra forma en casa. Pintar podía ser un oficio y una fuente de ingresos.

Cada vez peor

En 1930, durante su estancia en San Francisco, el Dr. Eloesser le diagnosticó a Frida una deformación congénita[11] de su columna vertebral (escoliosis) y la falta de un disco intervertebral[12]. Además, al poco tiempo de llegar a Estados Unidos, los tendones[13] de su pie derecho se tensaron tanto que tenía muchas dificultades para caminar.

En 1932, Frida sufrió un aborto[14] que la dejó física y mentalmente muy frágil. Quería morir. En 1934, Frida tuvo otro aborto y su salud empeoró. El descubrimiento de la relación de Diego Rivera con su hermana Cristina le produjo nuevos sufrimientos psicológicos y físicos. Al separarse de Rivera, cayó en una profunda depresión.

Los años que siguieron fueron muy duros. Poco a poco, y de forma paralela a su amor y desamor por Diego Rivera, los huesos de Frida envejecían[15] y sus lesiones eran cada vez más graves. Su pie derecho sufrió gangrena[16] por la falta de riego sanguíneo[17] y le tuvieron que amputar[18] todos los dedos.

GLOSARIO

[10] **espejo**: superficie de cristal y acero en la que se reflejan los objetos [11] **congénito**: que se tiene desde el nacimiento [12] **disco intervertebral**: disco que une dos vértebras [13] **tendón**: tejido que sirve de unión entre los músculos y los huesos [14] **aborto**: (aquí) interrupción del embarazo por causas naturales [15] **envejecer**: hacerse viejo [16] **gangrena**: muerte de los tejidos por falta de sangre que hace que se infecten y se pudran [17] **riego sanguíneo**: cantidad de sangre que llega a los órganos [18] **amputar**: cortar una parte del cuerpo

pista 11

Querido doctorcito

Más que un médico, Leo Eloesser fue para Frida un verdadero amigo. Se conocieron en San Francisco en 1930 cuando él era jefe de Servicio del Hospital General de la ciudad y ella fue hospitalizada. Le confió su salud y fue una de las pocas personas a las que mostró sus miedos, su soledad y su tristeza. Frida le escribió muchas cartas, cerca de 280 páginas que muestran el alma[1] de la pintora sin disfraz[2] y a Frida como una mujer inteligente, sensible y fiel a sus ideas. Eloesser había sido doctor en China y en la Guerra Civil española, y terminó sus días atendiendo[3] a los pobres en Tacámbaro, Michoacán, ocultándose de la CIA por sus supuestas actividades a favor del comunismo.

GLOSARIO

[1] **alma**: (aquí) esencia, lo más íntimo [2] **disfraz**: traje por el cual una persona esconde su identidad y toma la de otra [3] **atender**: ocuparse de, cuidar

En 1944 se sometió a 28 tratamientos y tuvo que llevar varios corsés[19]: de cuero, ortopédicos, de acero[20] y de yeso[21]. Uno de ellos no le permitía sentarse ni inclinarse[22]. A veces se lo quitaba y se ataba a una silla para poder estar derecha y pintar. Permaneció cerca de tres meses en posición vertical, con bolsas de arena atadas a los pies para enderezarle la columna. En estos últimos años, el sufrimiento se convirtió en una obsesión. El Dr. Eloesser reconoció más tarde que la mayoría de las operaciones sufridas por Frida habían sido innecesarias. En 1946, Frida viajó a Nueva York para someterse a una nueva intervención. Los médicos le fusionaron[23] dos vértebras[24] y, como consecuencia, tuvo que llevar un corsé de acero durante ocho meses. Le ordenaron descanso, pero Frida no siguió el consejo médico y su salud siguió empeorando. Las dosis de morfina que tomaba en aquella época para soportar el dolor eran tan fuertes que ya nunca pudo deshacerse de su adicción a esta droga. Estaba hundida psicológica y físicamente, y el año 1950 lo pasó entero en el hospital. Pero siguió pintando. Al salir del hospital, sin embargo, su estilo ya no era el mismo. Pintaba de forma ansiosa[25], para aprovechar el tiempo, ya que el dolor la paralizaba durante largos ratos.

En 1953 le amputaron la pierna derecha, y con ella su sensibilidad estética. No quería saber nada de pintura y perdió el interés por todo. Estaba por primera vez callada y apática. Cuando no estaba drogada o dormida, estaba histérica. Pegaba a Diego, lo insultaba, gritaba a todos los que vivían en la casa.

A pesar de todo esto y en contra de los consejos médicos, Frida fue a una manifestación[26] del Partido Comunista. Tenía una

---

GLOSARIO

[19] **corsé**: prenda ortopédica que se ajusta al cuerpo desde debajo del pecho hasta la cadera para corregir los problemas de columna [20] **acero**: aleación metálica formada por hierro y carbono [21] **yeso**: (aquí) escayola [22] **inclinarse**: bajar el tronco y la cabeza hacia delante [23] **fusionar**: unir, juntar [24] **vértebra**: cada uno de los huesos que forman la columna vertebral [25] **ansioso**: impaciente, nervioso [26] **manifestación**: reunión o marcha pública para reclamar o protestar por algo

pulmonía[27], y esta empeoró tras su participación en la protesta. Frida sabía que su vida estaba terminando. Por eso celebró su cumpleaños antes de tiempo en compañía de cien invitados. Pero para ella la muerte era parte del ciclo natural de la vida, y en las últimas páginas de su diario anotó: «Espero alegre la salida... y espero no volver jamás». Esta frase ha dado lugar a algunas hipótesis sobre un posible suicidio de Frida Kahlo. Según su acta de defunción, sin embargo, murió a causa de una embolia pulmonar[28].

Una sirvienta[29] de la casa encontró a Frida con los ojos fijos la noche del 13 de julio de 1954. Diego Rivera no estaba. El chófer de los Kahlo, que había trabajado toda la vida con la familia, fue a buscarlo a San Ángel y le dijo: «Señor, murió la niña Frida».

GLOSARIO

[27] **pulmonía**: inflamación del pulmón [28] **embolia pulmonar**: bloqueo repentino de la arteria que lleva la sangre a los pulmones [29] **sirviente**: persona que realiza el trabajo doméstico en casa de otra persona

La maternidad frustrada

Una de las consecuencias más dolorosas de aquel accidente fue que después de él Frida no pudo tener hijos. Esto le causó una profunda tristeza. Lo intentó durante años hasta que, finalmente, durante su estancia en San Francisco, se quedó embarazada[1]. Soñaba con tener un «Dieguito», pero sufrió un aborto el 4 de julio de 1932. A los tres meses, el feto no había conseguido aún formarse. Fue un golpe muy duro para Frida, que dibujó al niño perdido en la litografía[2] *Frida y el aborto* y redactó un acta de nacimiento[3] completa como si el bebé hubiese nacido.

Según Rivera, Frida intentó quedarse embarazada tres veces más. Él no quería más hijos, pero ella estaba convencida de que un niño fortalecería su matrimonio. En la Casa Azul de Coyoacán aún se conservan muchos libros de Frida sobre el embarazo, el parto[4] y el aborto, y hay un feto humano que le regaló el Dr. Eloesser conservado en formol y juguetes[5] para los futuros hijos.

GLOSARIO

[1] **embarazada**: que va a tener un hijo [2] **litografía**: grabado hecho en piedra
[3] **acta de nacimiento**: documento que certifica que una persona ha nacido
[4] **parto**: acto por el cual nace un niño [5] **juguete**: objeto con el que juega un niño

Las dos Fridas, 1939

pista 13

5. Frida amante

«Perdí mi virginidad en el accidente»

Tal vez porque el cuerpo de Frida Kahlo no podía responder a sus deseos de placer y libertad, la pintora intentó probar todas las sensaciones. Kahlo se alejó de la estricta moral de las mujeres mexicanas de aquella época para ser aceptadas socialmente. No era una mujer convencional. Desde que era joven, su ropa de hombre (trajes de chaqueta y pantalón en las fotos familiares) hacía enfadar a su madre.

Diego Rivera tenía fama de mujeriego y embaucador[1], pero Frida no se quedaba atrás[2]. Una vez que comprendió que el pintor no le sería fiel, decidió explorar todos los placeres de la carne[3]. No solamente tuvo amantes hombres, sino que también se acostó[4] con mujeres. De hecho, cuando ya estaba muy enferma y no podía tener relaciones sexuales con hombres porque eran más agresivas para su cuerpo, fue con las mujeres con quienes Frida disfrutó más.

Nickolas Muray

Uno de los pocos amantes que logró un espacio en el corazón de Frida, siempre ocupado por el gran Diego Rivera, fue el fotógrafo

GLOSARIO

[1] **embaucador**: que engaña y cautiva a otros [2] **no quedarse atrás**: (aquí) estar al mismo nivel que otra persona [3] **placeres de la carne**: placeres que se obtienen de las relaciones sexuales [4] **acostarse con**: mantener relaciones sexuales

húngaro Nickolas Muray. Se veían en Estados Unidos, lejos de Rivera. La relación era inconstante, pero las cartas que Frida le enviaba revelan el apasionado romance que mantuvieron. En ellas, Kahlo se dirigía a Muray con «mi adorado Nick». Sin embargo, a pesar del deseo[5] apasionado que Frida mostraba por Muray, nunca dejó de querer a Diego.

La relación se interrumpió por un tiempo cuando Muray comenzó un romance con otra mujer. Pero cuando Frida regresó a México, Muray la siguió. Continuó siendo su amante y ayudándola económicamente hasta que Diego y ella volvieron a casarse. Cuando Diego se enteró de esta relación, le pidió el divorcio a Frida.

Frida seductora[6]

Frida Kahlo era una mujer muy coqueta y utilizaba abiertamente sus poderes de seducción. Dominaba el arte del coqueteo con hombres y mujeres, y lo practicaba con gusto, pero su interés estaba fijo en Diego y en intentar despertar sus celos. En público se mostraba llena de vitalidad y se entregaba a las aventuras con actitud despreocupada, pero este era solo un mecanismo para esconder su dolor.

Frida perseguía sin pudor a aquellos hombres que la atraían, y expresaba claramente su opinión sobre asuntos sexuales. Es evidente, por sus cuadros y su diario, que Frida le daba una considerable importancia al sexo. Así, Frida comenzó a tener muchas aventuras[7] a espaldas de su marido, y se sucedían las peleas, las separaciones y las reconciliaciones. Uno de estos *affaires* lo tuvo con el refugiado español Ricardo Arias Viñas, al que conoció cuando se comprometió a[8] dar asilo[9] a refugiados[10] españoles de la Guerra Civil.

GLOSARIO

[5] **deseo**: (aquí) atracción sexual [6] **seductor:** persona que seduce, que atrae físicamente a una persona para conseguir tener relaciones sexuales con ella [7] **aventura**: (aquí) *affair*, relación amorosa ocasional [8] **comprometerse a**: contraer un compromiso, implicarse en algo [9] **dar asilo**: acoger, ofrecer alojamiento [10] **refugiado**: persona que huye de su país por motivos políticos o religiosos

Una importante relación para Frida fue la que tuvo con otro español, un pintor refugiado que nunca ha querido dar su nombre. Diego permitía que viviera en la casa de Coyoacán, pero Frida intentaba ocultar sus relaciones.

El escultor Isamu Noguchi también se enamoró de Frida. Vital[11], encantador[12] y atractivo, la conoció cuando viajó a México en 1935. En cuanto la vio, se quedó fascinado y poco después comenzaron a encontrarse en distintos lugares, entre ellos la casa de su hermana Cristina en Coyoacán, lejos de la mirada furiosa de Rivera. Y es que Diego era el único que podía practicar el amor libre en su matrimonio.

Pero el amante más famoso de Frida fue, sin duda, León Trotsky. Cuando este se refugió en México, la casa de Frida y Diego se convirtió en su cuartel. A pesar de su avanzada edad, el ruso era impresionante, sobre todo, intelectualmente. El revolucionario, a pesar de la presencia de su mujer y de Diego, tocaba a Frida por debajo de las mesas o introducía cartas de amor en los libros que le recomendaba. Finalmente, por deseo de la mujer de Trotsky y siguiendo el consejo de Frida, la pareja rusa se mudó a otra casa de Coyoacán.

Bisexualidad

A partir de los años cuarenta, Frida empezó a pintarse de forma muy masculina. Tanto Frida como Diego tenían un marcado aspecto andrógino y a los dos les atraían las características de su propio sexo que veían en el otro. A Rivera le gustaba el aire masculino de Frida, y su bigote, y se enfurecía cuando ella se lo afeitaba. A Frida le gustaba el pecho[13] de Diego, un seno gordo casi de mujer.

Las tendencias homosexuales de Frida provocaron un escándalo cuando las expresó por primera vez en la Escuela Nacional

---

GLOSARIO

[11] **vital**: lleno de vida [12] **encantador**: agradable, que tiene encanto [13] **pecho**: parte delantera del tronco que va de los hombros al vientre

Preparatoria. Más tarde, cuando comenzó a salir con los amigos de Rivera en un ambiente más liberal y bohemio, volvió a tener relaciones con mujeres. Frida nunca se avergonzó de ser bisexual y a Rivera tampoco le preocupaba. De hecho, Rivera estimulaba las relaciones homosexuales de Frida, ya que las consideraba un peligro menor.

En 1939, Frida pintó a una pareja de mujeres amantes en *Dos desnudos en un bosque*. Es posible que esas figuras sean ella misma y una mujer amada. En los cuadros de Frida se muestra este gran apetito sexual sin distinción de género.

pista 14

León Trotsky

León Davidovich Bronstein (Ucrania, 1879), más conocido como León Trotsky, fue un político y revolucionario soviético y uno de los grandes protagonistas de la Revolución de Octubre de 1917. Tras su exilio de la Unión Soviética se convirtió en el líder de un movimiento internacional de izquierda revolucionaria, el trotskismo. Murió asesinado en México, en Coyoacán, cerca de la casa de Frida Kahlo, por un espía internacional al servicio de Stalin, el español Ramón Mercader.

Trotsky negoció la retirada[1] de Rusia de la Primera Guerra Mundial. Creó el Ejército Rojo revolucionario, que venció a 14 ejércitos extranjeros y al Ejército Blanco contrarrevolucionario en la Guerra Civil rusa. Política e ideológicamente se enfrentó a Stalin, lo que causó su exilio y más tarde su asesinato.

GLOSARIO

[1] **retirada**: (aquí) salida, abandono

Frida Kahlo en 1932 / Guillermo Kahlo

6. «Lo personal es político»

> *«¿Por qué intentaría yo hacerme creer que mi pintura es combativa? No puedo»*

Frida Kahlo vivió la época posterior a la revolución de 1910. En ella, los obreros y los campesinos se rebelaron contra los grandes terratenientes[1], dueños de casi todo el territorio agrícola mexicano. Fueron diez años de luchas y revueltas[2]. En ese momento comenzó a surgir en México un sentimiento patriótico que no había existido antes. Los artistas comenzaron a interesarse por los indígenas, los habitantes originarios del país.

Frida Kahlo luchó desde muy joven contra las ideas y la moral dominantes en la sociedad en la que vivía, pero no fue hasta el comienzo de su relación con Diego Rivera cuando realmente adoptó las ideas del comunismo y militó[3] en el partido. Sin embargo, no fue Diego quien la introdujo en él, sino Tina Modotti, una fotógrafa amiga de Rivera.

A pesar de que los dos provenían de la burguesía que se había beneficiado[4] del porfiriato, su experiencia política fue muy diferente. Diego tomó conciencia poco a poco, y su experiencia europea fue determinante para ello. Frida, por el contrario, fue desde el principio intuitiva y apasionada. Diego pintaba la

---

GLOSARIO

[1] **terrateniente**: persona que tiene tierras y grandes extensiones agrícolas [2] **revuelta**: levantamiento, rebelión [3] **militar**: implicarse políticamente [4] **beneficiarse de**: obtener ventajas o beneficios de

Revolución; Frida afirmaba: «¿Por qué intentaría yo hacerme creer que mi pintura es combativa? No puedo». Y es que, aunque Frida estuvo en primera línea de las manifestaciones, en política siempre estuvo a la sombra de[5] su compañero. Nunca puso su arte al servicio del Partido. Para Frida, sus cuadros eran la forma de comunicarse consigo misma, su forma de existir. De la misma manera que rechazó pertenecer al movimiento surrealista, rechazó la intrusión de la política en su arte.

Lo que unía a Frida con el compromiso político era su fe ciega[6] en Diego Rivera. Frida observaba y denunciaba[7] las injusticias, la traición, las conspiraciones y las desigualdades sociales, y su crítica era a veces violenta. Frida elevaba su voz[8] por las mujeres oprimidas del México antiguo y los niños de la calle. Fue Frida quien ayudó a Diego a permanecer fiel a la Revolución y al espíritu de los muralistas, ya que Diego se debatió siempre entre el individualismo y el comunismo.

GLOSARIO

[5] **a la sombra de (alguien)**: por detrás de [6] **fe ciega**: confianza absoluta [7] **denunciar**: difundir o declarar públicamente una situación ilegal [8] **elevar la voz por**: protestar por

pista 16

¿Feminismo?

Para muchos, Frida Kahlo es una de las grandes feministas de todos los tiempos. Sin embargo, en el México de aquella época estas ideas aún no estaban en la mente de las mujeres. Ella era una mujer que se implicaba activamente en política y para ello dejaba de lado las diferencias y hablaba de tú a tú[1] con cualquiera.

En los años noventa, las agrupaciones feministas estadounidenses la convirtieron en una heroína y en un símbolo de sus ideas. Se sentían atraídas por la franqueza[2] de Frida porque la artista hablaba de su experiencia como mujer a través de su obra.

No se puede negar que Frida fue más allá de los límites que su cultura imponía a las mujeres. La revolución de Kahlo fue espontánea y la pintora practicó sin duda el eslogan que más tarde utilizaron las feministas: «Lo personal es político».

GLOSARIO

[1] **de tú a tú**: entre iguales, sin jerarquías [2] **franqueza**: honradez, sinceridad

Creación y comunismo

En aquellos años, varios artistas (escritores, poetas, músicos, etc.) se sintieron atraídos por las ideas comunistas. Eran frecuentes las reuniones improvisadas de intelectuales, sobre todo, en los primeros años de la relación entre Rivera y Kahlo, en las que el alcohol inflamaba los discursos. Diego Rivera mantuvo varias discusiones sobre política con David Alfaro Siqueiros, el otro gran muralista mexicano. De una radical militancia ideológica, Siqueiros luchó como voluntario en la Guerra Civil española y su obra está unida al marxismo y a la Revolución.

Otro artista latinoamericano comprometido con el comunismo fue el poeta chileno Pablo Neruda, quien además mantuvo cierta amistad con Kahlo y Rivera durante su exilio en México. Militó y participó en el Comité Central del Partido Comunista y murió días antes del golpe de Estado por parte del general Pinochet en Chile. Tras su muerte, los militares desmantelaron[9] su casa.

GLOSARIO

[9] **desmantelar**: vaciar completamente

pista 17

7. Sentir para pintar

«La obra de Frida es una cinta que envuelve una bomba»
André Breton

Con el sentimiento nacionalista que surgió tras la Revolución, apareció una corriente artística que pretendía afianzar[1] la identidad mexicana más allá de las vanguardias europeas. Fue muy importante el año 1922, cuando el abogado, escritor, político y filósofo mexicano José Vasconcelos puso en marcha un programa cultural y artístico para unir a los pintores jóvenes que sentían la necesidad de reformular los principios del arte nacional.

A pesar de los avances políticos, las mujeres apenas participaban en la vida artística, como sucedía en muchos otros aspectos de la sociedad. Frida Kahlo y María Izquierdo fueron las dos primeras mujeres que entraron en la escena artística del México de aquellos años.

Los comienzos artísticos de Frida estuvieron muy ligados a las vanguardias y, posteriormente, a la pintura de Diego Rivera y otros jóvenes muralistas que ya tenían mucho éxito en ese momento. Pero Frida adquirió pronto una marca muy personal. Más allá de ser la esposa de Diego Rivera, Frida Kahlo tuvo cierta importancia en su momento, aunque mucha menos de la que tiene ahora.

Como ya se ha dicho, Frida comenzó a pintar para sobrellevar[2] la enfermedad y porque la pintura podía ser una forma de ayudar

---

GLOSARIO

[1] **afianzar**: reforzar [2] **sobrellevar**: soportar una situación difícil

económicamente a su familia. No quería perder el tiempo; quería pintar si aquello iba a generar un beneficio económico; si no, tendría que encontrar otra forma de colaborar con su familia. Desde el primer momento, los cuadros partieron de su individualidad, eran muy personales y tenían una fuerza impresionante. Cuanto más pintaba, más serio se volvía su trabajo; y su técnica, más compleja. Ella misma se dio cuenta de que no lo hacía nada mal, así que, cuando se recuperó, decidió llevarle los cuadros a Rivera.

Más allá de su amor por Frida, Diego Rivera vio enseguida que aquella mujer pintaba de una forma que él no había visto antes. Influida en parte por las corrientes artísticas de la época y los muralistas, Frida tenía, sin embargo, algo renovador, fuerte, distinto, que hacía sentir algo sobrecogedor[3] a quien miraba sus cuadros. Y es que Frida Kahlo pintaba desde dentro; toda su obra es una autobiografía simbólica convertida en arte. Mientras Diego Rivera y otros pintores retrataban la sociedad y la lucha obrera o escenas indígenas, Frida traía todo eso hacia sí y lo pintaba desde sus sentimientos: sentada, con el caballete sobre la cama, atada[4] a la silla, convaleciente[5]; siempre con el pincel en las manos.

GLOSARIO

[3] **sobrecogedor**: conmovedor, emocionante, inquietante [4] **atar**: (aquí) fijar algo con una cuerda o similar para inmovilizarlo [5] **convaleciente**: persona que se está recuperando de una enfermedad

Los colores

En los últimos años de su vida, Frida Kahlo escribió un diario. En él se puede leer la siguiente interpretación del significado de los colores en su obra:

verde: luz tibia[1] y buena.
café: color de mole, de hoja que se va; tierra.
amarillo: locura[2], enfermedad, miedo. Parte del sol y de la alegría.
azul cobalto: electricidad y pureza. Amor.
verde hoja: hojas, tristeza, ciencia. Alemania entera es de ese color.
amarillo verdoso: más locura y misterio. Todos los fantasmas usan ropa de ese color... por lo menos ropa interior.
verde oscuro: color de malos augurios[3] y de buenos negocios.
azul marino: distancia. La ternura[4] también puede ser de este azul.
magenta: ¿sangre? Pues, ¡quién sabe!

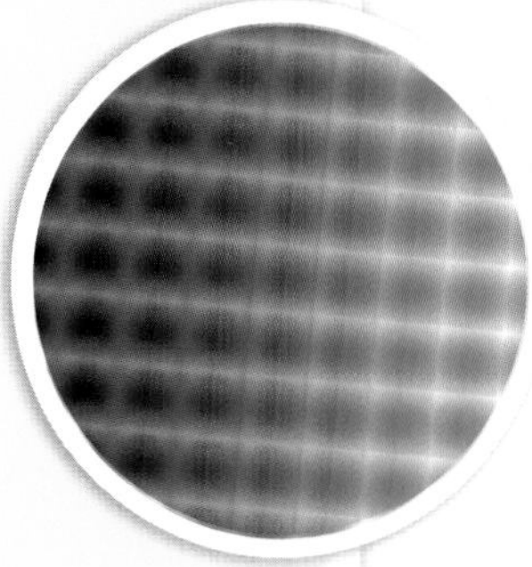

GLOSARIO
[1] **tibio**: cálido, suave [2] **locura**: falta de salud mental [3] **augurio**: presagio, aviso de algo que va a suceder [4] **ternura**: cariño, afecto

Indigenismo

Una de las mejores obras de Frida Kahlo es *Mi nana y yo*. En ella, Kahlo se representa como una niña con cabeza de mujer adulta a quien amamanta una nana indígena. Con este cuadro, Frida expresa su fe en la continuidad de la cultura mexicana y en el renacimiento de la cultura precolombina a través de las generaciones.

Pero basta con mirar cualquier autorretrato de Frida para saber que admiraba la herencia indígena de su tierra. Su obra está muy influida por el nacionalismo patriótico que nació en el primer cuarto del siglo XX en México: los colores que utiliza, los trajes que llevan los personajes que retrata, la flora, la fauna... todo es exótico, como en las regiones indígenas de su país.

El indigenismo es claro en los cuadros *Mi vestido cuelga allá*, pintado en Estados Unidos en 1933, y en *Autorretrato en la frontera* (1939). En ambos, Frida ensalza la cultura de su país y la herencia indígena sobre el modo de vida de Estados Unidos.

Surrealismo

El surrealismo es un movimiento artístico que surge en Francia en la década de los años veinte en torno a André Breton. Perseguía la verdad a través de la expresión automática, sin corrección, para activar el inconsciente. Según los surrealistas, el inconsciente es la región donde el ser humano no racionaliza la realidad, sino que forma parte de ella. Así, el artista comunica su arte con el todo. Por eso se practica la asociación mental libre, sin consciencia, tanto en la escritura como en la pintura. El surrealismo se politizó a favor del Partido Comunista. La primera exposición surrealista en América Latina tuvo lugar en Perú en 1935, y la segunda, en México en 1940. En ella, Frida incluyó algunos cuadros y este contacto afianzó una tendencia espontánea que ya tenía la artista. Pero los surrealistas no la consideraban realmente parte del movimiento por la ingenuidad de su pintura.

El dolor en el lienzo

El arte de Frida Kahlo puede gustar o no, pero no hay duda de que emociona. Quien se sitúa frente a los autorretratos de la autora entra sin esfuerzo en su mundo privado. Muchos espectadores se sienten intimidados[6] por la mirada oscura y desafiante[7] de Frida Kahlo, que los observa desde los cuadros.

La columna rota, de 1944, es una intensa expresión de su dolor. Frida lo pintó tras una intervención quirúrgica. Su rehabilitación fue una experiencia angustiosa, ya que tuvo que permanecer un tiempo atada a un aparato. Esta angustia se expresa a través de los clavos[8] que perforan[9] su cuerpo desnudo. Una brecha[10], como causada por un terremoto, abre su pecho. Una columna clásica sostiene el cuerpo de Frida desde los lados hasta la cabeza.

Otro de los cuadros que refleja cómo Frida veía su mundo interior es *Sin esperanza* (1945). En él se ve a Frida acostada en la cama, llorando. Está vomitando[11] su drama personal y su vómito parece una erupción volcánica[12]. En la punta de los labios sostiene un embudo[13] del que salen un cerdo, carne, células cerebrales, un guajolote, una salchicha, un pescado y una calavera con su nombre. Está vomitando sobre el caballete que está sobre la cama. Sobre la sábana[14] se ven organismos microscópicos, como óvulos[15] que esperan la fecundación[16]. Es posible que Frida pintara el cuadro durante la convalecencia de una operación.

Uno de los golpes más duros para Frida fue no poder tener hijos con Rivera. A este problema dedicó también parte de su obra. El lienzo *Hospital Henry Ford* (1932) es el primero de una serie de horribles retratos. En él, Frida está tumbada desnuda en la

---

GLOSARIO

[6] **intimidado**: asustado [7] **desafiante**: provocador [8] **clavo**: pieza metálica, larga y delgada, con cabeza y punta [9] **perforar**: hacer un agujero [10] **brecha**: (aquí) herida [11] **vomitar**: echar violentamente por la boca el contenido del estómago [12] **erupción volcánica**: explosión de un volcán [13] **embudo**: instrumento hueco en forma de cono, ancho por arriba y estrecho por abajo, que sirve para pasar el líquido de un recipiente a otro [14] **sábana**: tela con la que se cubre la cama [15] **óvulo**: célula sexual femenina [16] **fecundación**: momento en el que un espermatozoide penetra un óvulo

cama del hospital, sangrando[17] sobre la sábana. Tiene el estómago hinchado[18] y aprieta contra él seis cintas[19] rojas de las que salen varios objetos. Uno es un feto y una de las cintas es el cordón umbilical[20]. En el cuadro están representados todos los símbolos del fracaso maternal. Aparecen organismos parecidos a esperma[21] y se ve su lesión en la espina dorsal. Un caracol[22], según explicó Frida, simboliza la lentitud de su aborto. También se ve la cadera fragmentada en el accidente, que fue la causa por la que perdió el feto. Cuando Frida pintó este cuadro, Rivera se dio cuenta de que algo había cambiado en ella. Los últimos cuadros de Frida Kahlo no tienen la precisión de los anteriores.

A pesar de los graves efectos de la medicación y el mal estado de su salud física, Kahlo aún tuvo fuerzas para una última exposición. En 1953, los médicos le habían prohibido salir de la cama. Su amiga Lola Álvarez estaba preparando una exposición de la obra de Frida y decidió adelantarla. Iba a ser la primera en su país natal y Frida no quería perdérsela. La última imagen que tenemos de la pintora es su entrada en la exposición, en cama, saludando alegre al público reunido.

GLOSARIO

[17] **sangrar**: echar sangre [18] **hinchado**: abultado, inflado, agrandado [19] **cinta**: banda, tira [20] **cordón umbilical**: cordón que une la placenta de la madre al feto antes de nacer este [21] **esperma**: semen, conjunto de espermatozoides [22] **caracol**: animal pequeño con caparazón que se mueve arrastrándose muy despacio

Una cinta que envuelve[1] una bomba

En 1938, Frida expuso sus cuadros en Nueva York. Aunque quería ser por fin una pintora y no la esposa de Diego Rivera, se fue con varias cartas de recomendación en las que Rivera había escrito que la pintura de Frida era «ácida[2] y tierna, dura como el acero y delicada y fina como el ala[3] de una mariposa[4], adorable como una sonrisa hermosa, y profunda, y cruel». La exposición fue un gran acontecimiento. Frida se vistió con su traje mexicano. Se exhibieron 25 cuadros y la prensa quedó impresionada con la artista. El crítico del *Times* utilizó para su titular[5] la descripción que Breton había hecho de la obra de Frida: «Una cinta que envuelve una bomba».

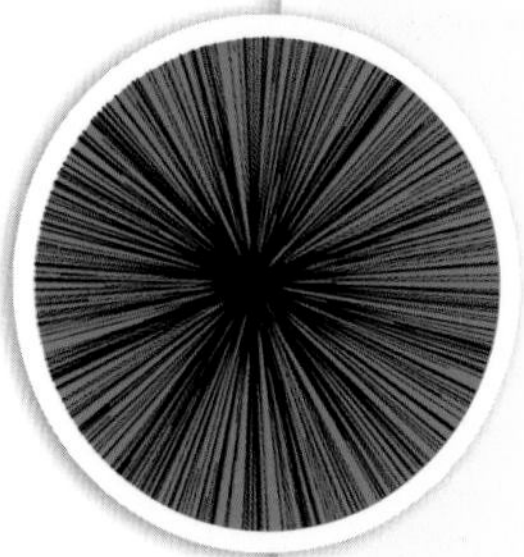

GLOSARIO

[1] **envolver**: cubrir con papel, tela o similar [2] **ácido**: (aquí) duro, cínico [3] **ala**: órgano o apéndice que utilizan algunos animales para volar [4] **mariposa**: insecto volador de bellos colores [5] **titular**: título de una noticia en una revista o periódico

pista 21

8. «Fridolatría»

«Comercializar a Frida no aporta nada a su obra»
Cristina Kahlo

¿Por qué se ha convertido Frida Kahlo en un icono de México? ¿Qué tienen su personalidad, su rostro y su forma de vida para cautivar a tantas personas en todo el mundo? ¿Cómo traspasa las fronteras de México un personaje que amó su país por encima del resto del mundo hasta llegar a tener la repercusión[1] mundial y los seguidores que ahora tiene?

Frida Kahlo representa tanto a México como lo hacen el tequila y los mariachis. La imagen de la pintora exporta la idea de un México colorido de raíces fuertemente indígenas.

La pintura de Frida Kahlo comenzó a triunfar fuera y dentro de sus fronteras justo en el momento en el que el arte se empezaba a fijar en lo femenino, en las mujeres artistas. Ella era una artista política y representaba el momento que le tocó vivir de forma muy intensa, y que fusionó las culturas antiguas de México con la cultura del México posterior a la Revolución.

Pero otros factores influyeron en el lanzamiento mundial de su imagen. La misma artista se preocupó mucho por ello. Construyó cuidadosamente su imagen: su rostro, su cuerpo y la ropa que usaba, para conseguir rodearse de un aire de misticismo. A esto

---

GLOSARIO

[1] **repercusión**: (aquí) fama

hay que añadir su relación con Diego Rivera, una de las más famosas de la historia.

Cuando Diego y Frida se casaron, Rivera era conocido mundialmente, había completado ya gran parte de su obra. Frida no era conocida, solo tenía obra privada. Sin embargo, hoy es casi al revés. Cualquier persona es capaz de reconocer un cuadro de Frida, pero no siempre de Diego.

Hoy su trabajo sigue llamando la atención y atrae la sensibilidad de nuestra época. Es individualista y profundamente íntimo y nos sigue conmoviendo su honestidad sobre sus emociones y su dolor.

Como en el caso de otros artistas, la vida y la obra de Frida atraen al mundo entero y provocan auténtica fascinación. Fuera de México, la imagen del artista mexicano es la imagen de Frida. Dentro de su propio país, hay quien tiene la sensación de que ha impedido que otros artistas hayan conseguido tanto reconocimiento. Quizá por eso se la valora más fuera que dentro y se conocen mejor las pinceladas[2] de su vida que las de su obra.

Frida fue una diosa para sí misma: practicaba la «fridolatría».

La Frida Kahlo Corporation

Isolda P. Kahlo, hija de Cristina Kahlo, fundó la Frida Kahlo Corporation (FKC) en 2005. Esta compañía se encarga de difundir y conservar el legado de la artista. Hoy, la corporación pertenece en un 51% al venezolano Carlos Dorado, mientras que el resto de las acciones son de la hija de Isolda.

Entre los negocios que la corporación hace con la imagen de Frida está previsto construir un hotel *spa* Frida Kahlo en la Riviera Maya o en México DF, así como un restaurante con su nombre. Otros productos son bolígrafos dedicados a la pintora

---

GLOSARIO

[2] **pincelada**: trazo o golpe del pintor con el pincel e idea expresada de forma general y sin profundizar

La herencia de Frida Kahlo

El padre de Frida Kahlo fue un próspero fotógrafo en la época de Porfirio Díaz pero, al caer este Gobierno, la familia Kahlo sufrió dificultades económicas. Tenían deudas y una hipoteca que pagar. Diego Rivera se hizo cargo de[1] todo ello. Al morir Frida, se celebró un juicio[2] entre Diego Rivera y Cristina Kahlo por la casa familiar de Coyoacán. Ganó él porque pudo demostrar que había pagado las deudas. Consiguió así que la vivienda familiar se convirtiera en casa-museo gubernamental. Gracias a él, la herencia artística de Frida está en México, como probablemente a ella le hubiese gustado.

La hija, la nieta y la bisnieta de Cristina Kahlo son las dueñas de la Frida Kahlo Corporation. Esta compañía regula las licencias para comerciar con el nombre y la imagen de la pintora. La idea de la corporación surgió a raíz de[3] un libro que hablaba muy mal de Cristina. Gracias a él descubrieron que, aunque Rivera había heredado todo, ellas tenían los derechos sobre el nombre y la imagen de la artista.

GLOSARIO

[1] **hacerse cargo de**: ocuparse de [2] **juicio**: proceso legal [3] **a raíz de**: como consecuencia de, a partir de

y un tequila con su nombre. Además, la FKC vende una muñeca para coleccionistas con la figura de Frida por 200 dólares y un corsé, también para coleccionistas, por 3500 dólares, creado por la marca La Perla y con incrustaciones de Swarovsky.

La corporación también ha comercializado una cerveza con la imagen de Frida. En la parte superior de la botella de las cervezas Bohemia aparece la imagen de Frida acompañada de animales, flores y soles, junto a la leyenda «Edición Especial». Otro de los lanzamientos de la FKC han sido tres modelos distintos de Converse: las Converse Frida Íntima, inspirados en tres etapas de la pintora.

El Instituto Nacional de Bellas Artes de México se ha lavado las manos[3] sobre esta mercantilización extrema de la imagen de Frida por parte de sus herederos. Por su parte, muchos críticos de arte y algunas instituciones mexicanas han expresado su profundo desagrado. Incluso, algunos críticos han calificado este movimiento de la FKC como «perverso y pervertido».

Al margen de estas maniobras de mercadeo masivo, la organización lleva a cabo una labor social, en coherencia con la ideología de Frida. Así, la FKC trabaja con fundaciones de Estados Unidos cuyo fin es mejorar la vida de los mexicanos residentes en el país. Sin embargo, hay quien se pregunta si esto no es simplemente un mecanismo para lavar la imagen de la compañía.

GLOSARIO

[3] **lavarse las manos**: expresar desacuerdo con algo y no querer participar en ello

Frida, la película

Frida es una película mexicana dirigida por Julie Taymor, que se estrenó en Estados Unidos en 2002. La actriz que interpretó a Frida fue Salma Hayek, quien también fue co-productora. Contó con la colaboración de muchos de sus amigos, como por ejemplo Antonio Banderas.

La película tiene mucho colorido y escenas surrealistas. También hay animaciones de las pinturas de Kahlo. Una de las grandes escenas de la película la protagoniza la gran cantante mexicana Chavela Vargas. Interpreta a la muerte, que le canta a Frida en un bar la mítica canción mexicana *La Llorona*.

Notas culturales

1. La niña Frida

Revolución mexicana: Conflicto armado que estalló en 1910 con una rebelión contra el presidente Porfirio Díaz y el orden existente. En el lado rebelde fueron fundamentales los militares Pancho Villa y Emiliano Zapata. Se considera el acontecimiento político y social más importante de México en el siglo XX.
Carrancistas: Partidarios de Venustiano Carranza, presidente de México de 1917 a 1920.
Zapatistas: Partidarios de Emiliano Zapata.

2. El paisaje de Frida

Vestido de tehuana: Traje popular formado por una blusa o *huipíl* y una falda. La tela está bordada con flores de colores.
José Clemente Orozco: Muralista y litógrafo mexicano. Está considerado uno de los grandes muralistas mexicanos, junto con Diego Rivera y David Alfaro Siqueiros.

4. Frida y el dolor

Guerra Civil española (1883-1949): Conflicto armado que comenzó en España en 1936, cuando una parte del ejército se sublevó contra el Gobierno democrático de la Segunda República. Terminó en 1939 con la victoria del bando de los sublevados y dio pie a la dictadura del general Francisco Franco.

6. «Lo personal es político»

David Alfaro Siqueiros (1896-1974): Fue un pintor y militar mexicano; está considerado uno de los grandes muralistas mexicanos, junto con Diego Rivera y José Clemente Orozco.
Pablo Neruda (1904-1973): Poeta chileno considerado uno de los mejores y más influyentes de su siglo; en 1971 recibió el Premio Nobel de Literatura.

Golpe de Estado por parte del general Pinochet en Chile : Golpe que dio el Ejército de Chile dirigido por el general Augusto Pinochet el día 11 de septiembre de 1973. Con este golpe derrocaron de forma violenta el Gobierno del presidente Salvador Allende.

7. Sentir para pintar

Mole: Término de origen náhuatl y que se refiere a un plato preparado normalmente con chocolate, chiles y especias que suele acompañar la carne. Existen muchos tipos, pero el más conocido es el mole poblano.

Guajolote: Término que proviene del náhuatl y que designa varias especies de pavo.

8. «Fridolatría»

Mariachis: Conjuntos que tocan música tradicional mexicana. Originariamente se centraban en la música de Jalisco, pero hoy tocan muchos estilos mexicanos, como rancheras, corridos y valses. Llevan un traje tradicional y un sombrero mexicano.

La Llorona: Personaje legendario de varios países de Latinoamérica. Se trata del alma de una mujer que llora porque ha perdido a sus hijos, los busca e inquieta con su llanto a quienes la escuchan.

Glosario

ESPAÑOL	INGLÉS	FRANCÉS	ALEMÁN

Introducción

ESPAÑOL	INGLÉS	FRANCÉS	ALEMÁN
[1] **mercantilización**	commercialisation	marchandisation	Kommerzialisierung
[2] **aprovechar**	to make the most of	profiter de	ausnutzen
[3] **reflejarse en**	to be reflected in	se refléter dans	wiederspiegeln
[4] **cuadro**	painting	tableau	Bild
[5] **fiel**	loyal	fidèle	treu
[6] **mural**	mural	peinture murale	Wandgemälde
[7] **turbulento**	turbulent	tumultueux	turbulent
[8] **sufrimiento**	suffering	souffrance	Leiden
[9] **tenaz**	tenacious	tenace	zäh
[10] **adelantado**	avant-garde/ ahead of	en avance (sur son temps)	fortgeschritten
[11] **iconoclasta**	iconoclastic	iconoclaste	avantgardistisch
[12] **operación**	operation	opération	Operation
[13] **santo**	saint	saint	Heiliger
[14] **diablo**	demon	diable	Teufel

1. La niña Frida

ESPAÑOL	INGLÉS	FRANCÉS	ALEMÁN
[1] **bautizar**	to baptize	baptiser	taufen
[2] **nodriza**	wet-nurse	nourrice	Amme
[3] **amamantar**	to breastfeed	allaiter	stillen
[4] **criar**	to raise/bring up	allaiter	aufziehen
[5] **nana**	nursemaid	nourrice	Kindermädchen
[6] **seno**	breast	sein	Brust
[7] **herencia**	heritage	héritage	Erbe
[8] **devoción**	devotion	vénération	Zuneigung
[9] **brillante**	striking/radiant	brillant	glänzend
[10] **hospitalizar**	to hospitalise	hospitaliser	eingewiesen
[11] **ingresar**	to enrol	être admis	eintreten
[12] **prometedor**	promising	prometteur	vielversprechend
[13] **zócalo**	town square	place	Zentraler Platz in Mexico Stadt
[14] **esbelto**	slim	svelte	schlank
[15] **rostro**	face	visage	Gesicht
[16] **atraer**	to attract	attirer	anziehen
[17] **gorra**	beret	casquette	Mütze

ESPAÑOL	INGLÉS	FRANCÉS	ALEMÁN
18 **travieso**	mischievous	espiègle	frech
19 **expulsar**	to expel	expulser	rausfliegen
20 **calificación**	grade/mark	note	Note
21 **patio**	playground/ schoolyard	cour	Hof
22 **sofisticado**	sophisticated	sophistiqué	gebildet
23 **inepto**	useless	inepte	ungeschickt
24 **trenza**	pigtail	tresse	Zopf
25 **inquietante**	disturbing	inquiétant	unheimlich
26 **encargo**	commission	commande	Auftrag
27 **mujeriego**	womaniser	coureur de jupons	Frauenheld
28 **a la cabeza**	in the lead	à la tête (de ce groupe)	angeführt von
29 **gastar bromas**	to play tricks (on someone)	faire des farces	Streiche spielen
30 **panzón**	fatso	ventru	Fettwanst
31 **asustarse**	to get worried	avoir peur	sich erschrecken
32 **caerse**	to fall	tomber	fallen
33 **andamio**	scaffolding	échafaudage	Gerüst
34 **sombrío**	sombre	sombre	finster
35 **tenso**	tense	tendu	angespannt
36 **despreocupación**	unconcern	insouciance	Sorglosigkeit
37 **fiestas patrias**	national holiday	fête nationale	Nationalfeierlichkeiten
38 **tranvía**	tram/streetcar	tramway	Straßenbahn
39 **frenar**	to brake	freiner	bremsen
40 **embestir**	to crash into	choquer contre	rammen
41 **dar saltos**	to jump/to skip	sauter	hüpfen
42 **en marcha**	moving	en marche	fahrend
43 **escayolar**	to put in plaster	plâtrer	eingipsen
44 **columna vertebral**	spine	colonne vertébrale	Wirbelsäule
45 **clavícula**	collar bone	clavicule	Schlüsselbein
46 **aplastar**	to crush	écraser	quetschen
47 **pasamanos**	handrail	main courante	Haltestange
48 **camión**	bus	autobus	mex. Bus

¿1907 o 1910?

1 **estallar**	to break out	éclater	ausbrechen
2 **fabular**	to make up a story	fabuler	erdichten

Poliomielitis, el comienzo del dolor

ESPAÑOL	INGLÉS	FRANCÉS	ALEMÁN
[1] **poliomielitis**	poliomyelitis	poliomyélite	Kinderlähmung
[2] **inflamación**	inflammation	inflammation	Entzündung
[3] **neurona**	neuron	neurone	Nervenzellen
[4] **médula espinal**	spinal cord	moelle épinière	Rückenmark
[5] **articulación**	joint	articulation	Gelenk
[6] **flacidez**	weakness	flaccidité	Schlaffheit
[7] **pata de palo**	stick-leg	jambe de bois	Holzbein

2. El paisaje de Frida

ESPAÑOL	INGLÉS	FRANCÉS	ALEMÁN
[1] **mancha**	stain	tache	Fleck
[2] **luminoso**	light/luminous	lumineux	hell
[3] **denso**	dense	dense	düster
[4] **delincuencia**	crime	délinquance	Kriminalität
[5] **desgobierno**	misgovernment	chaos	Misswirtschaft
[6] **fantasma**	cocky/swaggering	invisible	hier: Bedrohung
[7] **inmenso**	huge	immense	immens
[8] **reforma agraria**	agrarian reform	réforme agraire	Agrarreform
[9] **equitativo**	fair/just	équitable	gerecht
[10] **riqueza**	wealth	richesse	Reichtum
[11] **bando**	faction/side	factions	Seite
[12] **raptar**	to kidnap	enlever	entführen
[13] **violar**	to rape	violer	vergewaltigen
[14] **disparar**	to fire (at)/shoot (at)	tirer	schießen
[15] **ocultar**	to hide	cacher	verstecken
[16] **baúl**	large trunk	malle	Truhe
[17] **empedrado**	cobbled	pavé	Kopfsteinpflaster
[18] **casona**	villa	grande maison	Villa
[19] **mercadillo**	street market	petit marché	Markt
[20] **de hecho**	in fact	de fait	tatsächlich
[21] **hipoteca**	mortgage	hypothèque	Hypothek
[22] **saldar deudas**	to pay off a debt	payer les dettes	Schulden tilgen
[23] **ampliar**	to enlarge	agrandir	vergrößern
[24] **reconocido**	recognised/highly-esteemed	reconnu	anerkannt
[25] **desagrado**	disappointment/dislike	mécontentement	Missfallen
[26] **Gringolandia**	pejorative term for the USA (Land of the Gringos)	Le pays des Yankees (États-Unis - péjoratif)	Gringoland (USA)
[27] **bandera**	flag	drapeau	Flagge

ESPAÑOL	INGLÉS	FRANCÉS	ALEMÁN
28 **calavera**	skull	tête de mort	Schädel
29 **rascacielos**	skyscraper	gratte-ciel	Wolkenkratzer
30 **ausencia**	absence	absence	Abwesenheit
31 **rechazar**	to reject/to spurn	repousser	ablehnen
32 **estar a punto de**	to be about to	être sur le point de	unmittelbar bevorstehen

Gringolandia

1 **desprecio**	contempt/disdain	mépris	Verachtung
2 **rescindir**	to annul	résilier	kündigen
3 **negarse a**	to refuse to	réfuser de	sich weigern
4 **echar de menos**	to miss	regretter	vermissen
5 **cocer**	to bake/to cook	cuire	hier: backen

El Museo Frida Kahlo. La Casa Azul

1 **huésped**	guest	hôte	Gast
2 **cabecera**	bedhead	tête de lit	Kopfende
3 **caballete**	easel	chevalet	Staffelei
4 **pincel**	(painter's) brush	pinceau	Pinsel

3. El elefante y la paloma

1 **ignorar**	to ignore	ignorer	ignorieren
2 **silbar**	to whistle	siffler	pfeifen
3 **angustia**	anxiousness	angoisse	Beklemmung
4 **corretear**	to dash about	courir à petits pas	rumrennen
5 **dominador**	dominant	dominateur	dominant
6 **celoso**	jealous	jaloux	eifersüchtig
7 **insultar**	to insult	insulter	beleidigen
8 **indignado**	indignant	indigné	empört
9 **arrebato**	sudden fit of fury	emportement	Zornausbruch
10 **dejar de lado**	leave someone aside/alone	laisser de côté	vernachlässigen
11 **harto**	fed up (of)	fatigué	überdrüssig sein
12 **unos cuantos**	a few	quelques	eine Menge
13 **piquetito**	knife-wound	blessure faite avec un outil pointu	Pikser
14 **a sus espaldas**	behind her back	derrière son dos	hinter ihrem Rücken
15 **imborrable**	indelible	indélébile	unauslöschlich
16 **arteria**	artery	artère	Arterie
17 **vena**	vein	veine	Vene
18 **tijera**	scissors	ciseaux	Schere
19 **gotear**	to drip	tomber goutte à goutte	tropfen

ESPAÑOL	INGLÉS	FRANCÉS	ALEMÁN
[20] **pena**	sadness/misery	chagrin	Kummer
[21] **malvado**	swine/villain	méchant	bösartig
[22] **volcarse en**	to devote yourself fully to	se dévouer à	in etwas stürzen
[23] **lamentable**	awful/shocking	lamentable	bedauerlich
[24] **chapotear**	to splash about	barboter	planschen
[25] **espectador**	spectator	spectateur	Zuschauer
[26] **intervención quirúrgica**	surgical operation	intervention chirurgicale	chirurgischer Eingriff
[27] **función de títeres**	puppet show	spectacle de marionnettes	Puppenspiel
[28] **suicidarse**	to commit suicide	se suicider	Selbstmord begehen

La boda entre un elefante y una paloma

[1] **paloma**	dove	colombe	Taube
[2] **prestar**	to lend	prêter	leihen
[3] **tejano**	Texan-style	texan	Texanisch

4. Frida y el dolor

[1] **arriesgado**	full of risk	risqué	tollkühn
[2] **cojera**	limp	boiterie	Hinken
[3] **quebrarse**	to break/snap	se casser	brechen
[4] **rotura**	fracture	fracture	Bruch
[5] **espada**	sword	épée	Schwert
[6] **ambulancia**	ambulance	ambulance	Krankenwagen
[7] **sentir**	to hear	entendre	hier: hören
[8] **sirena**	siren	sirène	Sirene
[9] **radiografía**	X-ray	radiographie	Röntgenbild
[10] **espejo**	mirror	miroir	Spiegel
[11] **congénito**	congenital	congénital	angeboren
[12] **disco intervertebral**	(spinal) disc	disque intervertébral	Bandscheibe
[13] **tendón**	tendon	tendon	Sehne
[14] **aborto**	miscarriage/abortion	avortement	Abtreibung
[15] **envejecer**	to age	vieillir	altern
[16] **gangrena**	gangrene	gangrène	Wundbrand
[17] **riego sanguíneo**	blood flow	irrigation sanguine	Blutversorgung
[18] **amputar**	to amputate	amputer	amputieren
[19] **corsé**	corset	corset	Korsett
[20] **acero**	steel	acier	Stahl
[21] **yeso**	plaster	plâtre	Gips
[22] **inclinarse**	to bend over	se pencher	sich bücken
[23] **fusionar**	to join up	fusionner	fusionieren

ESPAÑOL	INGLÉS	FRANCÉS	ALEMÁN
24 **vértebra**	vertebrae	vertèbre	Wirbel
25 **ansioso**	impatient/nervous	impatient	begierig
26 **manifestación**	demonstration	manifestation	Demonstration
27 **pulmonía**	pneumonia	pneumonie	Lungenentzündung
28 **embolia pulmonar**	pulmonary embolism /blood clot in the lung	embolie pulmonaire	Lungenembolie
29 **sirviente**	servant	domestique	Hausangestellter

Querido doctorcito

1 **alma**	soul	âme	Seele
2 **disfraz**	mask/disguise	déguisement	Kostüm
3 **atender**	to treat	soigner	behandeln

La maternidad frustrada

1 **embarazada**	pregnant	enceinte	schwanger
2 **litografía**	etching	lithographie	Lithographie
3 **acta de nacimiento**	birth certificate	acte de naissance	Geburtsurkunde
4 **parto**	birth	accouchement	Entbindung
5 **juguete**	toy	jouet	Spielzeug

5. Frida amante

1 **embaucador**	prankster	enjôleur	Betrüger
2 **no quedarse atrás**	to give tit for tat	ne pas en faire moins	nicht zurückstehen
3 **placeres de la carne**	the pleasures of the flesh	plaisirs de la chair	fleischliche Lust
4 **acostarse con**	to have sex with	coucher avec	mit jmd. schlafen
5 **deseo**	desire	désir	Begehren
6 **seductor**	seducer	séducteur	Verführer
7 **aventura**	affair	aventure	Abenteuer
8 **comprometerse a**	to commit yourself to	s'engager à	sich verpflichten
9 **dar asilo**	to grant/give asylum to	donner asile à	Asyl gewähren
10 **refugiado**	refugee	réfugié	Flüchtling
11 **vital**	energetic	plein de vitalité	lebendig
12 **encantador**	charming	charmant	charmant
13 **pecho**	chest	poitrine	Brust

ESPAÑOL	INGLÉS	FRANCÉS	ALEMÁN

León Trotsky

1 **retirada**	retreat	retraite	Austritt

6. «Lo personal es político»

1 **terrateniente**	landowner	propriétaire terrien	Grundbesitzer
2 **revuelta**	rising/rebellion	révolte	Revolte
3 **militar**	to be a card-carrying member	militer	angehören
4 **beneficiarse de**	to benefit from	bénéficier de	Nutzen ziehen
5 **a la sombra de (alguien)**	in the shadow of (someone)	être dans l'ombre de quelqu'un	im Schatten von (jmd.)
6 **fe ciega**	blind faith	confiance aveugle	blinder Glaube
7 **denunciar**	to expose/to criticise	dénoncer	verurteilen
8 **elevar la voz por**	to speak out in favour of	lever sa voix pour	Stimme erheben
9 **desmantelar**	to dismantle	détruire	abreißen

¿Feminismo?

1 **de tú a tú**	directly/as equals	d'égal à égal	von Angesicht zu Angesicht
2 **franqueza**	frankness	franchise	Offenheit

7. Sentir para pintar

1 **afianzar**	to consolidate	consolider	festigen
2 **sobrellevar**	to cope with/ to endure	aider à supporter (la maladie)	ertragen
3 **sobrecogedor**	harrowing	saisissant	überwältigend
4 **atar**	to tie	retenir	binden
5 **convaleciente**	convalescing	convalescent	genesend
6 **intimidado**	intimidatng	intimidé	eingeschüchtert
7 **desafiante**	challenging	provocant	herausfordernd
8 **clavo**	nail	clou	Nagel
9 **perforar**	to perforate/ puncture	perforer	durchbohren
10 **brecha**	breach/crack	brèche	Spalte
11 **vomitar**	to vomit	vomir	erbrechen
12 **erupción volcánica**	volcanic eruption	éruption volcanique	Vulkanausbruch
13 **embudo**	funnel	entonnoir	Trichter
14 **sábana**	sheet	drap	Tuch
15 **óvulo**	ovum	ovule	Eizelle

ESPAÑOL	INGLÉS	FRANCÉS	ALEMÁN
[16] **fecundación**	fertilisation	fécondation	Befruchtung
[17] **sangrar**	to bleed	saigner	bluten
[18] **hinchado**	swollen	gonflé	geschwollen
[19] **cinta**	belt/band	ruban	Band
[20] **cordón umbilical**	umbilical cord	cordon ombilical	Nabelschnur
[21] **esperma**	sperm	sperme	Sperma
[22] **caracol**	snail	escargot	Schnecke

Los colores

[1] **tibio**	warm	tamisé	warm
[2] **locura**	madness	folie	Wahnsinn
[3] **augurio**	augury/prediction	présage	Omen
[4] **ternura**	tenderness	tendresse	Zärtlichkeit

Una cinta que envuelve una bomba

[1] **envolver**	contain/hold	enrouler	verpacken
[2] **ácido**	acidic	acide	bissig
[3] **ala**	wing	aile	Flügel
[4] **mariposa**	butterfly	papillon	Schnetterling
[5] **titular**	headline	gros titre	Überschrift

8. «Fridolatría»

[1] **repercusión**	impact	répercussion	Ruhm
[2] **pincelada**	brushstroke	trait	Pinselstrich
[3] **lavarse las manos**	to wash your hands of something	s'en laver les mains	seine Hände in Unschuld waschen

La herencia de Frida Kahlo

[1] **hacerse cargo de**	to take charge	prendre en charge	etwas übernehmen
[2] **juicio**	court case	jugement	Prozess
[3] **a raíz de**	as a result of	à la suite de	auf Grund von

actividades

Cómo trabajar con este libro

Grandes Personajes es una serie de biografías de personajes de la cultura del mundo hispanohablante. Cada libro está escrito en forma de reportaje y narra la vida de la persona desde su nacimiento hasta su muerte.

Para facilitar la lectura, al final de cada página hay un glosario en español con las palabras y expresiones más difíciles. Además, se incluyen varios recuadros que aportan información adicional sobre un tema relacionado con el capítulo al que acompañan. Al final del libro hay además un glosario en inglés, francés y alemán y notas culturales sobre algunos conceptos del mundo del español que aparecen en el texto.

El libro se complementa con una sección de actividades que tiene la siguiente estructura:

a) «Antes de leer». **Recomendamos realizar las actividades de esta sección antes de empezar a leer el texto**, ya que ayudarán a activar los conocimientos que tiene el lector sobre el tema y facilitarán la comprensión.

b) «Durante la lectura». Son **actividades destinadas a pautar la comprensión** de los diferentes capítulos y a ejercitar la comprensión auditiva mediante el trabajo con el CD.

c) «Después de leer». Se trata de propuestas variadas que **permiten poner en práctica la comprensión auditiva y de lectura, la expresión oral y escrita, la interacción oral y escrita y la mediación**. Tienen un carácter predominantemente abierto para que el propio lector (o el profesor que lee el libro con sus alumnos) pueda decidir cómo trabajar con ellas según sus necesidades. En muchas de ellas se propone un repaso al contenido del libro. En cada caso, **el lector puede decidir si vuelve a leer el fragmento en cuestión o prefiere escuchar la grabación del CD correspondiente**. Igualmente, puede decidir si hace las actividades por escrito o de forma oral, en interacción con otros hablantes.

d) «Léxico». Actividades para **la sistematización, la profundización y la ampliación del vocabulario**. Se tiene en cuenta que cada hablante tiene unos intereses y un bagaje personal específicos. Por eso se combinan actividades de respuesta cerrada con actividades más abiertas.

e) «Cultura». Esta sección contiene **propuestas para profundizar en los temas culturales** del libro.

f) La sección «Internet» propone **páginas web interesantes** para seguir investigando.

g) Por último, se facilitan las **soluciones** de las actividades de respuesta cerrada y propuestas de solución para algunas actividades de carácter más abierto.

ANTES DE LEER

1. El título de este libro es *Frida Kahlo. Viva la vida.* ¿Qué te sugiere?

2. Seguro que sabes algunas cosas sobre Frida Kahlo. En un minuto, escribe todo lo que se te ocurra.

3. Mira las fotografías de los cuadros y escribe tu interpretación sobre ellos. Después de leer el libro, compara la interpretación de la autora con la tuya.

4. Lee el texto de la contraportada y el índice. Imagina de qué se va a hablar en cada capítulo. Anótalo y comprueba después de leer el libro si tus hipótesis eran correctas.

DURANTE LA LECTURA

Capítulos 1-3

5. Teniendo en cuenta el origen del nombre de Frida, ¿crees que se ajusta a su carácter? ¿Por qué?

6. ¿Cuál de los dos «grandes accidentes» de Frida te parece más grave? ¿Por qué?

7. ¿Qué relación tienen estas citas con Frida Kahlo?

«Ahí viene Lupe Marín»

«Frida, pata de palo»

«Son aburridos y todos tienen la cara como de pan sin cocer»

8. ¿Cómo te imaginas la Casa Azul de los Kahlo?

9. La casa de Kahlo y Rivera estaba formada por dos edificios independientes pero unidos entre sí por un puente. ¿Crees que es una buena metáfora de su relación amorosa? ¿Por qué?

Capítulos 4-6

10. ¿Cuál de los cuadros de Frida (cuya fotografía está incluida en el libro) representa mejor el dolor de la artista? ¿Por qué?

11. ¿Cómo explicarías el lema «Lo personal es político» en relación con la obra y la vida de Frida Kahlo?

Capítulos 7 y 8

12. A partir de la interpretación que Frida hace de los colores, intenta describir las emociones de los cuadros que aparecen en el libro.

13. ¿Qué te parece la actitud de la Frida Kahlo Corporation?

DESPUÉS DE LEER

14. Escoge cuatro de los recuadros que aparecen en el libro, vuelve a escucharlos y apunta las palabras clave. A partir de ellas, reconstruye la información más importante.

Pista 03. ¿1907 o 1910?	Pista 04. Poliomielitis, el comienzo del dolor	Pista 06. Gringolandia	Pista 07. El Museo Frida Kahlo. La Casa Azul
Pista 09. La boda entre un elefante y una paloma	Pista 11. Querido doctorcito	Pista 12. La maternidad frustrada	Pista 14. León Trotsky
Pista 16. ¿Feminismo?	Pista 18. Los colores	Pista 19. Surrealismo	Pista 20. Una cinta que envuelve una bomba
Pista 22. La herencia de Frida Kahlo	Pista 23. Frida, la película		

15. Ahora que has terminado de leer el libro, ¿qué te parece el subtítulo *Viva la vida*? ¿Puedes pensar en uno alternativo?

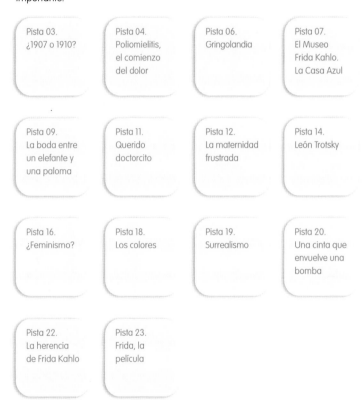

16. El libro comienza con una cita extraída de la letra de la canción *El elefante y la paloma*, del cantautor español Pedro Guerra. Busca la canción en Internet (en YouTube, por ejemplo) y escúchala. ¿Te gusta? ¿Coincide la descripción que hace de los artistas con la que tú has leído?

17. ¿Qué opinión tienes ahora de Frida Kahlo? Prepara un texto oral en tu propia lengua para hablar con un amigo.

18. Escoge una de las citas que aparecen en el libro y explícala con tus propias palabras. ¿Por qué la has escogido?

LÉXICO

19. Rellena este esquema con al menos cinco palabras y expresiones que se utilizan en el libro para describir a Frida Kahlo, otras cinco para Diego Rivera y cinco más para describir la relación entre ambos. Decide después cuáles de ellas quieres aprender.

20. ¿Cómo describirías la actitud de la autora del libro con respecto a Frida Kahlo? ¿Crees que la admira, que es crítica hacia ella, comprensiva? Señala algunos fragmentos del libro que justifican tu respuesta.

21. Mira las siguientes palabras. ¿Se refieren a sentimientos, salud y enfermedad o arte? Clasifícalas en la categoría adecuada. ¿Recuerdas qué significan y cómo se usan? Escribe una frase con cada una.

Sentimientos	Salud y enfermedad	Arte

devoción cojera convaleciente litografía desagrado congénito pena aborto caballete vomitar pincel angustia mural ansioso sangrar ternura pincelada echar de menos inflamación arrebato

22. Fíjate en el ejemplo y haz lo mismo para otras cinco palabras de la actividad anterior. Si quieres, puedes trabajar con un diccionario.

Ejemplo: cojera-cojo-cojear

PARA SABER MÁS

23. Escoge uno de estos cuatro temas y busca información sobre él. Prepara luego una breve presentación oral o escribe un breve texto:

La Revolución mexicana
Culturas precolombinas en México
Artistas e intelectuales mexicanos de la época de Frida Kahlo
El arte de México hoy

INTERNET

24. En el libro se describen muchos cuadros de Frida. Búscalos en Internet para verlos. Luego escoge el que más te gusta y escribe lo que sientes al verlo.

SOLUCIONES

7.

«Ahí viene Lupe Marín». Esta frase la gritaban los Cachuchas a Diego Rivera cuando trabajaba en el patio de su colegio.

«Frida, pata de palo». Así la llamaban los niños de la escuela porque, después de sufrir poliomielitis, no podía mover la pierna con normalidad.

«Son aburridos y todos tienen la cara como de pan sin cocer». Esto lo dijo Frida Kahlo sobre la sociedad estadounidense después de vivir un tiempo en Estados Unidos.

10.

La columna rota. Frida lo pintó después de una operación. Fue una época muy difícil durante la que tuvo que estar un tiempo atada a un aparato para recuperarse.

21.

Sentimientos	Salud y enfermedad	Arte
devoción	cojera	litografía
desagrado	convaleciente	caballete
pena	aborto	pincel
angustia	congénito	mural
ansioso	vomitar	pincelada
ternura	sangrar	
echar de menos	inflamación	
arrebato		

Notas